大眾心理學叢書402

吳靜吉博士策劃

每冊都解決一個或幾個你面臨的問題
每冊都包含可以面對問題的根本知識

大眾心理館 402

洪蘭作品集 2

打開科學書：講理就好 2

作　　者——洪蘭博士
策　　劃——吳靜吉博士
主　　編——林淑慎
特約編輯——陳錦輝
發 行 人——王榮文
出版發行——遠流出版事業股份有限公司
臺北市 100 南昌路二段 81 號 6 樓
郵撥／0189456-1
電話／2392-6899　　傳真／2392-6658
著作權顧問——蕭雄淋律師
2004 年　1 月 1 日　初版一刷
2017 年 10 月 1 日　二版九刷
售價新台幣 250 元（缺頁或破損的書，請寄回更換）

ISBN-10 957-32-5911-7
ISBN-13 978-957-32-5911-4
YLib 遠流博識網
http://www.ylib.com　E-mail: ylib@ylib.com

洪蘭作品集2

講理就好2

打開科學書

洪蘭博士◎著

#《大眾心理學叢書》

出版緣起

王榮文

一九八四年，在當時一般讀者眼中，心理學還不是一個日常生活的閱讀類型，它還只是學院門牆內一個神秘的學科，就在歐威爾立下預言的一九八四年，我們大膽推出《大眾心理學全集》的系列叢書，企圖雄大地編輯各種心理學普及讀物，迄今已出版達二百種。

《大眾心理學全集》的出版，立刻就在台灣、香港得到旋風式的歡迎，翌年，論者更以「大眾心理學現象」為名，對這個社會反應多所論列。這個閱讀現象，一方面使遠流出版公司後來與大眾心理學有著密不可分的聯結印象，一方面也解釋了台灣社會在群體生活日趨複雜的背景下，人們如何透過心理學知識掌握發展的自我改良動機。

但十年過去，時代變了，出版任務也變了。儘管心理學的閱讀需求持續不衰，我們仍要虛心探問：今日中文世界讀者所要的心理學書籍，有沒有另一層次的發展？

在我們的想法裡，「大眾心理學」一詞其實包含了兩個內容：一是「心理學」，指出叢書的範圍，但我們採取了更寬廣的解釋，不僅包括西方學術主流的各種心理科學，也包括規範性的東方心性之學。二是「大眾」，我們用它來描述這個叢書的「閱讀介面」，大眾，是一種語調，也是一種承諾（一種想為「共通讀者」服務的承諾）。

經過十年和二百種書，我們發現這兩個概念經得起考驗，甚至看來加倍清晰。但叢書要打交道的讀者組成變了，叢書內容取擇的理念也變了。

從讀者面來說，如今我們面對的讀者更加廣大、也更加精細（sophisticated）；這個叢書同時要了解高度都市化的香港、日趨多元的台灣，以及面臨巨大社會衝擊的中國沿海城市，顯然編輯工作是需要梳理更多更細微的層次，以滿足不同的社會情境。

從內容面來說，過去《大眾心理學全集》強調建立「自助諮詢系統」，並揭櫫「每冊都解決一個或幾個你面臨的問題」。如今「實用」這個概念必須有新的態度，一切知識終極都是實用的，而一切實用的卻都是有限的。這個叢書將在未來，使「實用的」能夠與時俱進（update），卻要容納更多「知識的」，使讀者可以在自身得到解決問題的力量。新的承諾因而改寫為「每冊都包含你可以面對一切問題的根本知識」。

在自助諮詢系統的建立，在編輯組織與學界連繫，我們更將求深、求廣，不改初衷。

這些想法，不一定明顯地表現在「新叢書」的外在，但它是編輯人與出版人的內在更新，叢書的精神也因而有了階段性的反省與更新，從更長的時間裡，請看我們的努力。

打開科學書

講理就好2

【目錄】

第2篇 大腦科學

第3篇 教育科學

第4篇 生命科學

〈專文推薦〉

書在這裡，請來閱讀！

劉兆漢教授

與洪蘭教授第一次見面，是和幾位中央大學研究學習科技的教授一同向她請教如何在中大發展「認知科學」這門領域。那次見面收穫很大，她很認眞地聽我們提出的推動學習科技的整體規劃，也提供幾項具體的建議，並且答應以後繼續協助我們。如此中大很幸運的建立了與洪教授合作的管道，幾年下來，洪教授愈「陷」愈深，今年，她成爲中央大學認知與神經科學研究所的創所所長。

洪蘭教授不是一位只提供意見的人，她是一位「起而行」的人。她提倡學生應多看課外書，就在各地組織讀課外書的活動；當她受到挫折，發現目前我們社會讀書並不是大家生活中主要的項目時，她並不氣餒，她開始翻譯，努力地將國外新知介紹到國內來。她也鼓勵更多志同道合的朋友一起動手做，她的態度是「有一天台灣的學生想看時，有書在那裡給他們看」。洪教授捲起袖子幹活兒的成果，在這本《打開科學書》裡面，十分淸楚的呈現出來。

這本書收錄了洪教授近年來爲國內出版的心理、教育、腦科學和生命科學等類科普書籍所寫的序言、導讀和推薦。雖然這些文章的發表前後歷經數年，但洪教授的一個中心思想卻不斷的在許多篇序文、導讀中出現，那就是如何培養台灣人民科學思考的能力。她認爲雖然經過多年各方面的努力，我們的國民仍然缺乏根據證據做批判、做獨立思考的習慣與能力，原因主要是：我們的學生在養成過程中教科書以外的書讀得太少，以致個人擁有的基本知識不夠廣泛，對許多事物不知如何區辨眞僞，沒有信心做獨立的思考與判斷。我十分同意洪教授的看法，足夠的背景知識，是培養科學思考能力的必要條件之一，而廣讀課外書籍汲取新知，是增進個人背景知識的不二法門。

全書推薦了五十五本分爲心理、大腦、教育及生命科學四大類的國際名著的譯本，包含大部分近年來這幾個領域中所出版的最傑出的科普著作，其中洪教授本人就譯了二十三本。讀著洪教授所寫的序文或導讀，可以看得出她的用心與認眞，我尤其欣賞她對每位原作者的生平所做的詳盡介紹，有時對原作者的研究工作，以及寫該本書的動機、過程，都有極生動的描述。這些額外的資訊，讓讀者在開卷之際，就對作者有一份比較親切的認識，在閱讀該書內容時，或許就會減少一些生澀的感覺。

在以心理科學爲主軸的第一篇，洪教授首先以 Gleitman 的《心理學》爲基礎，告訴大家心理學是一門跨領域的科學，它研究人類的心智活動，涉及人的生理、大腦神經、思維、行爲、語言等等。第一篇所收錄的譯作，就對這些心理學中不同的面向各自作深入的介紹，其中有幾本書對最新研究的結果，諸如大腦與行爲、自閉症、焦慮症、憂鬱症等等的關係，均有詳盡生動的報導。以大腦科學爲主軸的第二篇，介紹生命科學中最前瞻的領域，從大腦的生理構造談起，有幾本專書涉入到大腦的各項功能，進一步的談大腦與心理的關係；有幾本是從科學看情緒、記憶及各種感覺，另外兩本談到腦與認知以及人如何學習的專題。如此很自然的就進入第三篇以教育科學爲主軸的專著。洪教授特別介紹一本探討環境與同儕團體對學習的重要性的書籍，另外收錄的著作中，有的討論先天與後天在學習過程中孰輕孰重，有的探討嬰兒學習這個非常有趣的問題，從幼兒語言學習的機制中了解學習的奧秘，並且介紹了潛在學習的現象。

第四篇以生命科學爲主軸收錄的十幾本譯作，以人類的進化開始，很紮實的探討民族、血統、語言等與基因演變的關係，介紹了什麼是基因；也有專書討論複製與生命、愛滋病、老化的問題等等。這一篇所介紹的最後兩本專書相當有意思，一本是克萊頓的科幻小說《奈米獵殺》，以十分逼眞、相當有科學根據的方式，敘述最新的奈米科技對人類可能的影響；另一本則報導蘇聯解體前，俄國進行細菌戰研發的事蹟，令人不寒而慄。洪教授選這兩本譯作作爲本書的結尾，很淸楚的告訴大家，人類如果只是盡量發展科學而不注重道德的話，世界總有一天會毀在人類自己手中。

我自己看書時常常因爲讀到專家對某書的書評或介紹而做選擇，洪教授集册出這本書，介紹給國內讀者五十五本在現代心理學、認知科學及腦科學方面，最新、最好的科普讀物，讓大家有準備的做選擇，我想她的意思就是：書已經在這裡了，請來閱讀吧！

【推薦者簡介】劉兆漢，國立台灣大學電機學士，美國布朗大學電機博士，在美國伊利諾大學任教超過二十年，一九九〇年返國應聘爲國立中央大學校長，二〇〇三年後擔任大學入學考試中心主任、台灣聯合大學系統總校長，目前爲中央研究院副院長。曾獲美國電機及電子工程學會傑出成就獎及榮譽會員獎，並於一九九八年獲選爲中央研究院院士，二〇〇一年獲頒國際科聯日地科學委員會終身成就獎。

自序

我原是法律系的畢業生，所以養成遇事追根究柢的習慣；又遺傳到我父親執著的態度，凡認為是對的事情會一直做下去。因為平時很忙，只能硬從忙碌的生活中擠出有限的時間翻譯或寫作，所以當我看到短短十年間所寫的序和導讀，竟然已經厚到可以集結成册時，不免有點吃驚。古人說「聚沙成塔，集腋成裘」，想不到每天早上固定翻譯或寫一點文章，竟然也有這樣的成績。

我當然很高興，只是遺憾父親沒能來得及看到這本書的出版。妹妹告訴我，一年多前父親住院時，她曾把我的第一本書《講理就好》念給父親聽，雖然那時父親已不太能說話了，但是他一直微笑著聽她念。這件事對我是莫大的鼓勵。自從去美國改行念實驗心理學後，心中一直因為沒有繼承父親的衣缽而覺得愧疚，如今知道父親對我寫的東西表示讚許，總算放下心中的一顆大石頭，更決心要好好的寫，把我所讀的書盡量化成淺顯的文字，將科學的知識傳播出來。

這本書分四大部分，包括我回國十二年來為心理、教育、腦知識和生命科學類專書所寫的譯序、導讀和推薦。剛回來時碰上台灣在流行「前世今生」，眞是如火如荼，連嘉義這種小地方都不能倖免。學生成天不讀書，腦海中思索的不是他今生要做什麼，而是他前世曾經做了什麼。當時看到這種情形非常憂心，覺得要改變這個趨勢只有靠提昇全民的科學知識才有可能，因此努力的把國外的新知介紹進台灣來。

接下來幾年是我翻譯最勤的幾個年頭，也是在課堂上逼學生看課外書最厲害的時候，一學期要求學生看八本書（一學期有十六週，兩週看一本中文書我認為不過分，卻被學生告進校長室，幸好校長很明理，僅把我找去說「不要操之過急」）。回國久一點後，慢慢發現不讀書是這個社會的風尚。大家見面不是談你最近看了什麼好書，而是談買了什麼股票、作了什麼投資，如何快速的錢滾錢。所以當時一起下海翻譯的幾個朋友就氣餒了，又陸續回到實驗室去搞本行，只有我因為遺傳父親的脾氣，仍然繼續做下去。不過態度就從「逼學生看」到「有一天你想看時，有書在那裡給你看」。

我慢慢了解「觀念」的改變是最困難的事情，基本上需要一個世代的工夫，只要看美國現在終於把上學時間延後一個小時就知道了，這是二十年遊說的結果！雖然學習和睡眠的關係已經非常的明確，但是，即使面對著證據，一個人還是需要二十年才能轉變他的觀念（難怪觀念的改變叫洗腦）。因此，我開始把科學教育當作志業，在書報雜誌上寫專欄，去中小學演講，盡量把我認爲對的知識傳播出去。當我不急著要看到它的功效時，它的效果反而顯現出來了。

我發現父親教我的「心思放慢，腳步不放慢」的確是一個好的人生態度，我愈來愈喜歡我的生活了。每天清晨起來翻譯，然後去上課，空閒去演講，宣揚閱讀的好處，沒有絲毫浪費時間，它的成果，就是現在要出版的這本書。想到父親平時教誨我們「行遠自邇，登高自卑」，如果當時不寫，現在怎麼會有這本書出來呢？很多時候，只要肯耕耘，一定會有收穫，不必刻意強求。

我把這些序文重新修訂一遍，將此書獻給我的父親，感謝爸爸的身教與言教，使我成爲一個有用之人，我也會盡我的力讓我的學生成爲有用之人，再把這個理念傳下去。一個人不論他的天賦是什麼，都要努力爲這個社會做一些有益的事，如果人人都有這個理念，都願意盡他的能力爲後人留下更好的生活環境，那麼這個世界就大同了。屆時，不需法律來規範人的行爲了，大家只要講理就好。希望我們的社會有達到這個理想的一天，是爲序。

第 *1* 篇

心理科學

1 研究人類心智活動的科學

現代心理學是一門研究人類心智活動的科學，但一般人對它是什麼常有很大的誤解。很多人以爲心理學是可以算命的，這種情形在宴會時最常碰到，「哎呀！你是學心理學的，我可要小心一點，免得被你看到我心裡在想什麼。」也有人以爲心理學就是婚姻諮詢、心理輔導，常有人不管你學的是哪一種心理學，只要家庭中出了問題，便來詢問。這個現象在國防部中最顯著，不管是念生理或認知心理學的研究生，下了部隊都被派去做輔導官。

我自己在教普通心理學的第一堂課時，總是請學生用一行字把他們認爲的心理學寫下來，等到學期結束時，再請他們寫一遍心理學是什麼。同一個人前後觀念的改變眞是有天壤之別。這就

書名：心理學
作者：Henry Gleitman
譯者：洪蘭
出版：遠流

是爲什麼我覺得介紹一本優良的心理學入門書給大衆是有迫切需要的。

心理學包括的範圍很廣，凡是與人有關的東西統統包括在內。因此，人的身體功能、大腦機制、神經結構，到人的記憶、思維、決策的制定、語言的發展，都是心理學的研究對象。等到把自己弄清楚了，就轉而研究人與人之間的互動、溝通的技巧、同儕的壓力等等。最後，當身體機能衰退，大腦機制有病變或人際關係不良，不能適應這個社會時，這個病態的行爲也是屬於心理學的範疇。

很有趣的是，動物的行爲也是心理學研究的對象，因爲從動物的行爲，我們可以了解人類某些行爲的演化歷史。事實上，雖然諾貝爾獎沒有心理學這一項目，但是歷年來許多得獎者都是與心理學有關的。例如：von Békésy（內耳的結構，生物醫學獎）、Lorenz & Tinbergen（動物的行爲）、Hubel & Wiesel（視覺細胞，生物醫學獎）、Simon（組織行爲，經濟獎）及 Kahneman（經濟獎）等，都對心理學的進展有很大的貢獻。

心理學實在是一門無所不包的學問，這是爲什麼美國各大學都將心理學列入通識課程，認爲它是一個知識份子在專業知識之外必備的人文素養。我們隨便舉一個例子來說，「人之異於禽獸者幾希？」對於孔孟學者來說是惻隱之心，對笛卡兒（Rene Descartes）來說是思維能力，對大多數人來說是語言能力。但眞的是這樣嗎？Lorenz 會告訴你，群居的動物在對方做出臣服的動作後，會停手不再攻擊，比起人類的殘酷戰爭行爲，恐怕還要厚道一些。動物也會依情況的需要，使用工具以達到目的，也會把事情的前因後果串起來得到頓悟；動物更是有牠們自己的溝通方式。雖然我們可以說這些動物的行爲沒有人類行爲那麼高層次，但是如何界定這些層次的差異，還是很值得商榷的。最主要的是仔細思考這些行爲的異同，就提昇了我們對人的了解。

有時候在課堂上，當我將人與動物如何有別這樣一個問題就教於大學生時，所得到的都是傳統的答案，請他們對自己的答案提出支持的證據時，都幾乎說不出來，也無法從別的角度考量。這不能僅怪我們的學生獨立思考的能力不夠，他們基本的知識就不夠，因此無法推展出獨立思考。一個人必須有數據（條件）才能推理，這情況在社會科學尤然。當我們說「這桌子是傻瓜」這句話不通時，我們必須了解這是因爲桌子沒有生命，而單說桌子是無生命也是不夠的，因爲「這樹是傻瓜」也是不通的，雖然樹是有生命的。所以在社會科學裡的推理必須有廣泛的知識背景，推出來的理才不會鬧笑話。今天我們的學生就是對於生命科學的一般知識或是說他們的普通常識不夠，基於這一點，我覺得大家都應該有基本的心理學知識，甚至可以說，我認爲大學生都應該修心理學做爲通識課程，對於自己作爲一個萬物之靈的人才會有所了解。

葛萊特曼（Henry Gleitman）的這本《心理學》是目前我看到最好的一本，本書在美國被很多大學採用爲教本，作者也曾被美國心理學會（American Psychological Association, APA）選爲最佳的心理學教授。葛萊特曼本人溫文儒雅、博學廣識，與他談話如沐春風。他對心理學的看法與我相近，他用大量篇幅討論的題目也是我認爲重要、是作爲一個人必須知道的東西。這本書用科學的方法看心理學，書中對於生物機制多所討論，尤其從動物演化的觀點深入淺出的舉了很多有趣的例子說明現象，使學生知其然也知其所以然。他把〈知覺〉這一章放在〈學習〉的後面，這點與其他書的編排都不一樣。但是若眞正了解現在的認知心理學，你就會承認他這樣的安排是非常有道理的。知覺一定是發生在學習之後，在學習之前有感覺，在學習之後才有知覺，因爲感覺須經過解釋才成爲知覺。書中許多編排都脫離傳統的架構，而以在人類行爲的各個層面上，心理學研究的主題如何衍生爲主幹。因此讀者看完這一段，對整個主題的含義可以有全盤的了解。葛萊特曼的文學藝術修養非常好，因此本書到處都可以看到文藝與科學融合在一起的影子，讀起來文理流暢、圖片賞心悅目，是一本難得的好書。

因此，在徵求他同意，並由遠流公司取得中文版翻譯權後，我坐下來翻譯它。這本書花了我兩年的時光，我每天破曉即起，伏案疾書，直到手指起繭仍不以爲苦，因爲我覺得這本書有流傳下去的價值，我翻譯的功夫不會白費，所以就不覺得辛苦了。我受台灣栽培二十二年，在美國又工作二十五年，這本書也算是我回饋兩個國家的一點心意吧！（原載於《心理學》，譯序）

2 用强項智慧補救、增强弱項智慧

《經營多元智慧》是每一個對教育有熱情的老師必讀的書，尤其是國中、國小的老師更應該閱讀。因爲這本書中提供非常多有關如何將八項多元智慧融合到日常教學活動中的方法，這些方法都不需要什麼特別的配備，沒有資源分配的問題，不管多偏遠的小學，只要老師有心，都可以做。這些教學活動的改進不但使課堂活潑起來，最主要的是，它會使每個孩子受益，因爲這些活動設計背後的理念是針對每個人都有的多元智慧，每個學生可以依照自己特長的智慧，從不同的單元活動中吸取知識的精華，達到教育的目的。

這本書提出一個觀念我覺得非常好，好像就是針對我國目前

書名：經營多元智慧
作者：Thomas Armstrong
譯者：李平
出版：遠流

的教育沈疴而說的，作者阿姆斯壯（Thomas Armstrong）說，一個孩子如果某學科表現不行，我們應該從他專長的智慧項目切入以補救有缺失的項目，而不是一直針對他不行的智慧項目拚命給他練習。用他比較弱的智慧改進他已落後的技能是事倍功半，只會增加學生對學習的無助感，最後甚至讓他學習的樂趣完全消失。上焉者，坐在教室中，人到心不到；下焉者就逃學，迷失在外面的花花世界中了。

舉一個例子來說，我們一般對數學不好的學生是給他做更多的數學習題，我們相信勤能補拙，若是鷄兔同籠不會就出十題、二十題的鷄兔同籠給他練習，一直做到對爲止；但是因爲學生的邏輯—數學智慧（logical-mathematical intelligence）比較弱，更多這類的問題只會增加他的挫折感，讓他望而生畏，使上學變成一件無奈的事。本書的第十一章提出許多補救的方法，數學不好的人可以從空間智慧（spatial intelligence）、音樂智慧（music intelligence）等他比較強的智慧著手，幫助他改進問題。用強項智慧補救、增進弱智慧項目的表現，這才是合理的、事半功倍的教育方式。

我多麼希望當年我兒子從美國回來插班國小三年級時，我們有這種認識和概念。我的兒子因爲在國外長大，中文會說不會寫，一下子進入三年級，在國語科跟不上別人，老師（也可以說全台灣的教育皆如此）對跟不上的同學就是給他更多的作業，寫錯一個字，罰寫十遍，兒子每天放學就趴在桌上寫罰寫，因爲一天下來總錯十字以上，一個晚上就要寫一百個國字，每天寫到半夜十二點。愈是不行的部分他做起來愈慢，對這個作業也愈厭惡。奇怪的是愈厭惡愈容易出錯，今天的錯字就變成明天的罰寫，如此惡性循環下去。有一天我兒子對我說如果不帶他回美國，他就準備跳樓了。我看到一個原本健康活潑的孩子變成一個神經質、整日愁眉不展的小老頭。一個三年級的小孩子會說出「生不如死」的話來，只好辭去教職帶他回去。

這段慘痛經驗，在我今天審訂《經營多元智慧》這本書時眞是感觸良多。也因爲如此，我更覺得這本書在台灣，此時、此地，有出版的價值，每個老師都應該看，每個家長也應該看。了解智慧的本質，我們對孩子才會有合理的要求及因「才」施教的教學方法。只有這樣我們才能塑造出快樂的學習環境與主動的學習動機，因爲我們平衡了 limitation 和 ambition（孩子的天賦能力和我們或是他自己對他的期待）。

國小教育不但是知識的啓蒙期，也是人格成長的關鍵期，正確的觀念和適當的教導方式對孩子身心的健康來說太重要了。因此，雖然非常忙碌，還是接下遠流這份審訂的工作，仔細將譯稿與原書相對，將許多地方重譯過，務期將原著者的精神傳遞給讀者。盡力將這本一定會有影響力的書做好，大概是「書生報國」的唯一方式了。（原載於《經營多元智慧》，審訂者的話）

3 快樂是你智慧的選擇

張國榮自殺了，從二十四層樓高的屋頂跳下來。這個高度沒有懼高症的人看了都會腿軟，更何況他是個有懼高症的人。他留下九億的財產，當名利都不是問題而他一心求死時，只有一個可能性——憂鬱症（depression），果然報上登出他爲憂鬱症所苦，就像林青霞的母親以及千千萬萬受憂鬱症折磨的人一樣，選擇死亡作爲脫離苦海的方式。張國榮的死，使我快馬加鞭的把塞利格曼（Martin E. P. Seligman）這本《眞實的快樂》譯出來，不敢再拖延，因爲這本書對很多人來說會是一盞明燈，是一記當頭棒喝，它使你換個角度看待你的生活。人生短短幾十年，而且過去的不能重來，有必要每天找自己或對方的短處，使生活過不下去嗎？

書名：眞實的快樂

作者： Martin E. P. Seligman

譯者：洪蘭

出版：遠流

心理學一向只注重在病態心理或變態行爲上，很少正向的看待一個正常人的行爲。多少年來，我們都是把正常行爲視爲理所當然，把社會資源和注意力放在變態病態上；然而就像一個家庭中，父母的注意力都放在不聽話、做太保太妹的孩子身上，對那些聽話、守規矩的兒女視而不見，忘掉他們也需要關愛，殊不知，愈忽略正常的孩子，愈容易有壞的孩子產生。

塞利格曼第一個打破傳統，站出來大聲疾呼心理學應該重視快樂、健康的情緒，不應該投下全部的精力到研究心理疾病方面。畢竟預防勝於治療，假如我們能使人們過得很快樂，心理很健康，就不必治療憂鬱症或其他心理疾病了。經過十年的努力，他的研究取向已漸成氣候，心理學的鐘擺開始從負面情緒的研究盪向正面情緒的一端。心理學家開始問：我們如何能夠快樂？我們如何能夠有意義的過一生？

研究發現眞實的快樂（authentic happiness）來自長處和美德的發揮：快樂不是來自好的基因或好運，它是來自你智慧的選擇。塞利格曼發展出一套測驗幫助我們找出自己的長處，教我們如何在生活上、事業上時時運用它，以達到有意義的快樂。塞利格曼更教我們如何隨時隨地看到孩子的長處，如何在看到後稱讚他（空洞的稱讚是虛僞），使他更想把這個長處天天發揮出來——塞利格曼說，在這樣環境下長大的孩子不容易得憂鬱症，遇到挫折時比較有反彈性、可以重新站起來。塞利格曼所謂的眞正快樂的境界，其實正是《禮運・大同篇》所描述的大同世界，想不到經過二千年，地球繞了一圈又回到同一個問題：人類如何達到大同世界。本書告訴你，快樂是自己的選擇，大同世界就從自己身邊做起。

這本書對中國人特別有用，因爲我們是個憂鬱的民族，我們不敢讓自己快樂；當別人稱讚我們時，我們馬上要指出自己的缺點以糾正別人。自己的謙虛還好，因爲知道自己言不由衷；父母的謙虛常使孩子很沮喪，以爲自己在父母眼裡就是這個樣子。許多我這個年紀的中國人一輩子不曾聽過父母的褒獎，哪怕做得再好，父母也還是說：「百尺竿頭更進一步」，這使我們一直到中年以後才對自己有信心，也就是說，在社會中打滾二十年後才慢慢發現自己沒有比別人差。信心的缺乏使我們的年輕人在社交場合不知所措，在職場上找不到自己的定位，也不敢往前衝。因此，塞利格曼特別有一章在教導父母如何找出孩子的長處，在家務的分配上盡量配合孩子的長處，愛乾淨的孩子分配掃地，愛動的孩子分配遛狗，投其所好就不會抱怨，更使孩子在長處中發揮，找到自信和快樂。

中國人說：「男怕入錯行，女怕嫁錯郎。」沒有把自己的長處發揮出來，庸庸碌碌過一生，大概是人生最遺憾的事。這本書鼓勵你找出你的長處，做你最想做的事，哪怕這件事不能帶給你名利也沒有關係。我一直認爲人如果前半生沒有辦法爲自己而活，後半生一定要走自己的路；人只要健康，一身養一口，溫飽應不成問題，所以只要把生活的慾望壓低，你便有勇氣追尋自己的理想，過自己的生活。別人的眼光、別人的評語是不重要的，用別人的標準衡量自己，永遠是個遺憾；用自己的標準，才能眞正體會生命的美好。

憂鬱症是這個世紀的隱形殺手，它的苦如同憂鬱症病人所說的：「比萬丈深淵還要更深一萬倍」，我們防禦它要比SARS更嚴密才對。過去人們都以爲眞實的快樂是可望而不可即的，是那種「含著金湯匙出生」或是高官厚祿、僕婦如雲的人才配享受的，沒想到塞利格曼說只要願意改變心態，它就在你的身邊，而且還教你怎麼做。這個世界的苦難已夠多了，假如有一個不花半毛錢的方法，何不給自己一個機會試試看呢？但願這本書會使憂鬱症永遠無法再荼毒人類。（原載於《眞實的快樂》，譯序）

4 以創造力提升競爭力

八二三砲戰時，我念小學五年級，那時情況危急，班上時有同學請假，因爲父兄戰死金門，家屬要去參加公祭。我淸楚的記得有一天上地理課時，老師指著牆上的中國地圖對我們說，大陸這麼大，台灣這麼小，台灣想生存下去，惟有靠聰明才智、創造力，以智取勝，以新取勝。

時間一晃，四十年過去了，小學所學的東西已經忘到九霄雲外，但是地理老師這一番話我卻印象深刻，因爲我看到台灣社會從國民所得平均七〇美元到現在平均一三、〇〇〇美元，這完全印證了地理老師的話，台灣要生存只有靠智慧與創造力。

創造力在學術上是屬於心理學研究的範疇，打開任何一本普

書名：不同凡想
作者：Robert J. Sternberg
譯者：洪蘭
出版：遠流

通心理學的教科書，在思考的那一章裡，都會看到創造力的討論。但是這一方面的研究比起其他的領域，如記憶、知覺，明顯少了很多。這並不是表示創造力沒有吸引研究者興趣的能力，而是創造力是個比較抽象、比較主觀、比較難以取得共識的東西。就好像選美一樣，甲眼中的西施可能是乙眼中的無鹽，而心理學家是有名的專吃軟柿子的人。心理學界流傳著一則有名的笑話：有一個醉漢在路燈下找鑰匙，問他在哪裡遺失鑰匙的，他指著旁邊黑暗的角落，問他爲什麼不去遺失的地點找，他回答，因爲這邊比較亮。所以在心理學研究上，很多時候大家研究甲而不研究乙，並不是甲不重要或不有趣，而是因爲乙比較容易測量。

我教了很多年的心理學，每回講到創造力時，聲音都不敢大，因爲自己覺得心虛，覺得那些創造力的研究不是我心目中眞正創造力的研究方法——找出迴紋針有多少不同的用途，似乎和我所想像的創造力有一些距離。

一九九一年我回台教書，我的孩子插班讀小學三年級。第一次月考時，滿堂紅，全部不及格。令我驚訝的是，他對考不及格忿忿不平，認爲問題不在他而在老師。我把卷子拿來細看，發現標準答案非常的死板，完全不讓孩子有想像的空間。例如，自然科的考卷中有一道問題：蚯蚓喜歡生活在(1)沙灘(2)大樹下(3)菜園裡(4)水溝中。標準答案爲(3)菜園裡，但是事實上，任何陰濕的地方都可以找到蚯蚓。我兒子選了(2)大樹下，因爲在美國的家，後院有棵水蜜桃樹，每年夏天果實纍纍，常來不及吃就掉下來，在地上積起厚厚一層爛桃子，因此大樹下眞的有無數的蚯蚓鑽動，所以兒子很自然的就選了大樹下。數學科的卷子是他做除法的方式與台灣老師教的有一些不同，答案是對的，但是寫餘數的方式台灣與美國的寫法不一樣，老師全部給他半對，扣去一半的分數。

孩子心中一直忿忿不平，認爲老師不應該扣他分，因爲他認爲只要他會做，得到同樣的答案，用什麼方法應該是他的自由。在往後的三年裡，這個想法給他帶來極大的苦頭，因爲他一旦學會一個方法，便不耐煩用同一個方式做題目，每次都想找捷徑，嘗試新的方法。對標準答案他也很不能接受，常找老師爭辯，最後的結果是老師不喜歡他，同學也不喜歡他，上學變成很痛苦的事。他開始逃學，發展出身心症（somatization disorder），一上學就生病，不上學就好好的，鬧了很多年，最後回到美國學校上課才解決。

這件事令我對創造力開始深思。在大學課堂上，我常對大學生的被動與聽話感到驚訝，現在我知道其來有自，他們從小就被訓練成這樣，只有熟背標準答案的人才能通過層層考試的關卡，進入國立大學就讀。每次看到他們埋頭猛抄筆記，對老師的話全盤通收，對書本的看法更是深信不疑，我就感到很憂心。我常對學生說：「盡信書不如無書。」書是人寫的，人的看法不一定全對，更何況人的看法會改變。但是學生仍然對我把各家各派的理論都提出來討論的教法不能接受，甚至有人要求「只要教給他們對的那一個理論」就好了。他們認爲前一堂課學了半天後一堂課卻把前面學的都推翻，是受騙了，浪費他們的時間，完全不能了解這才是科學的精神，才是科學會進步的原因。

所以我開始找尋有關創造力思考方式的書，想把它引介到台灣來，因爲在現在的世界，墨守成規是會被淘汰的。我們已經脫離了以往替別人加工、代工的階段，現在要能開發新產品、新技術才能反淘汰，才能生存，而這個改變必須從學校做起，從教育中啓發與鼓勵創造力。

耶魯大學（Yale University）心理系的羅伯•史登堡（Robert J. Sternberg）教授是美國研究智慧方面的大師。他自己在念小學時，因爲考試焦慮症，智力測驗沒有考好，被編入啓智班，一直念到三年級，老師才發現這個孩子應該屬於資優班而不是智障班。也因爲這個經驗，使他對智力測驗、智慧的本質產生興趣，發展出智慧三元論，並從這裡延伸到對創造力的研究。因爲他是實驗心理學的科班出身，所以他對創造力的研究與別人不同，懂得量化在科學上的重要性，想了很多方法，把一個主觀的、不易測量的東西，用大家可以有共識的客觀方法表達出來。他同時把塑造、培養創造力的環境描寫得很淸楚，所以我選了《不同凡想》這本書翻譯，希望對提昇台灣的競爭力可以有點幫助。

史登堡在這本書中用投資的理論解釋創造力，一再強調創造力不等於智慧。一個人只要智力在中等以上都可以有創造力，而創造力和天才一樣是「一分天賦，九分努力」，所有的發明家都是鍥而不捨、一試再試以後才成功的。他舉了許許多多的例子說明光靠靈感是不可能成功的，因為靈感並不是憑空而降，它也需要背景知識才可能出現。這一點在現代年輕人不肯下功夫，只想一步登天的功利社會，更是有特別的意義。

創造力既然不是天賦的，那麼環境的因素就變得非常重要了。假如孩子生長在一個不鼓勵創意的環境，每一次他提出他的想法、看法都被老師、父母喝阻，那麼久而久之，他就不再思索自己的看法，而是被動的等著別人告訴他該怎麼做。我們中國的哲學其實是很不鼓勵創造力的，從國旗歌中的「守成不易，莫徒務近功」，及諺語中的「槍打出頭鳥」、「明哲保身」等等都可以看到先聖先賢不鼓勵標新立異，中國人講求的是中規中矩、安分守己。但是假如我們沒有廣大的腹地，沒有豐富的天然資源，就得充分利用我們的人力資源與別國競爭，而我們的人力資源就是我們的聰明才智與創造力，印證了我小學地理老師所說的話。（唉！我卻連他的名字都想不起來了。）

在此時此地的台灣，這本書特別有其時代意義。自清末以來，我們看到外國人的船堅砲利，就一直想迎頭趕上，趕了這一百年，在許多科技領域方面是追得差不多了，但是我們一直沒有學會一點，那就是科學精神中對原創力的重視。當我們「追趕」別人時，我們用的還是別人的創造發明。今天我們的大環境對創造力非常的不利，聯考與標準答案可能是最大的罪魁。

我想舉一個美國最紅的漫畫家蓋利・拉森（Gary Larson）的例子作本文的結束。拉森是

《遠端》(*The Far Side*)的創作人，他的漫畫幽默、機智、老少咸宜，是公認最有創意的美國漫畫家。他說別的同學的父母帶他們去博物館參觀，上鋼琴課、小提琴課，要他們背九九乘法口訣，而他的父親則是把全屋子的電燈關掉，穿上黑長大衣，把玻璃絲襪套在頭上，用手電筒從下巴往臉上照，在屋子裡走來走去做活死人。拉森一家永遠是玩著與別人家不同的遊戲，而且都是日常生活中隨地取材、俯拾即是的東西。創造力不需要進什麼補習班培養，它需要的是一個不受拘束、自由發揮的環境，一個愛幻想、會做白日夢的腦，加上一顆好奇的心就可以了。

我常鼓勵學生多做白日夢，這是一個不花錢的娛樂；先要有夢想，才可能實現夢想。現在的青年常說他們不快樂、很迷惘，我在想，是否他們已經失去做夢的能力了呢？一個有夢想的人是快樂、進取的。但願這本書能夠讓大家了解創造力的眞諦，父母、師長、學校多給年輕人一點做夢的空間。當我們責怪他們標新立異時，請記住我們現在正享受著前人標新立異的餘蔭，哥白尼(Nicolaus Copernicus)、達爾文(Charles Darwin)、梵谷(Vincent van Gogh)、塞尚(Paul Cezanne)、萊特兄弟(Wright Brothers)、李斯特(Franz Liszt)……這些人在當時不都是異類嗎？想想我們的世界沒有他們會是什麼樣。史登堡的書清楚的指出，當你把學生叫進辦公室來罵時，請先想一下，他會不會是下一個比爾・蓋茲(Bill Gates)。(原載於《不同凡想》，譯序)

5「我們只用一〇%大腦」的迷思

遠流的李總經理要我爲這本書寫導讀，我一聽到書名《另外的九〇%：開啓你未發掘的潛能》，第一個反應就是「你找錯人了，我每次出去演講，都在反駁我們只用到我們大腦一〇%的迷思，怎麼會找我呢？」但是轉念一想，學科學的人不應該預設立場，不要因名字而判斷一個人，或因書皮而判斷一本書，我應該看完再說。所以就讓快遞把稿子送來，週末時看一下。想不到一看之下，作者竟有很多觀點與我是心有戚戚焉，像「寧爲燈塔，不爲風標」、「你的贏不需要以別人的輸爲代價」、「正視這個世界」，這些都是我告誡學生的話。作者以他和祖父、外祖父一起

書名：另外的90%
作者：Robert K. Cooper
譯者：李芳齡
出版：遠流

生活時發生的小故事說這些大道理，娓娓道來，非常容易讓人接受。罵人最高明的是罵到讓人不知道你在罵他，說教也是，一旦被認爲在說教，別人就不愛聽了。說教要說到把訊息傳到，別人心中又無反感，是件不容易的事，這本書的作者做到了。看到現在政治混亂，八卦充斥，一本激勵年輕人向上、關懷別人的勵志書對這個社會是有利的，所以我就決定寫這篇導讀，同時藉這個機會徹底釐清一下「我們只用一〇%大腦」的錯誤迷思。

美國的心理學家丹尼斯頓（Rollin Denniston）說「那些告訴我們只有用一〇%大腦的人，只有用到他一〇%的大腦」。這句話雖然有點刻薄，但非常對。說這句話的人的確沒有在用他的大腦。大腦占我們體重的二%（大約三磅左右），卻用到我們二〇%的能源，如果一〇%的腦就可以應付得過來，上帝不會給你一個「大」腦，讓九〇%在空轉。不要忘記人是演化而來的，既無尖牙利爪，跑得又不比其他動物快，若不是有個智慧的大腦，斷不能存活到現在，成爲萬物之靈。大自然是個非常節儉的主中饋者，一絲一毫都不會浪費的，如果一〇%就夠用，人不會演化出這麼大的腦，消耗我們這麼多的能源。

尤其現在有了腦造影技術，我們可以看到嬰兒大腦活化的情形，更發現這句話的錯誤。所有的研究都顯示嬰兒大腦新陳代謝的程度比成人還高，例如密西根兒童醫院的柴加尼醫師（Harry Chugani）就發現出生後第一年大腦的新陳代謝急劇增加，到四、五歲時是成人的一五〇%，這情形一直要到九歲才降到大人的程度。因此，在科學上，完全沒有只用到一〇%的證據。即便沒有科學的證據，我們也可以用推理知道這種說法是不正確的，如果我們只用到一〇%的大腦，那麼車禍後或中風後的病人應該不會癱瘓或失去說話能力，因爲他有一大堆備用的細胞可調度。但是事實上，我們知道如果不在三到六個月之內開始復健的話，以後的效果會差很多。這其實就已經告訴我們並沒有大量的儲備細胞等著候補以備不時之需了。

美國的科技記者皮克歐弗（Clifford Pickover）追蹤這句話的來源到美國哲學家和心理學家威廉・詹姆士（William James, 1842-1910），因爲他說過「我們只用到心智資源的一小部分」，不過他並沒有說少到什麼程度。一〇%的字眼第一次出現在一九二九年的《世界年鑑》（*World Almanac*）上。那是一個自我提昇、自我改進補習班的廣告：「科學家和心理學家說我們只有用到我們大腦一〇%的能力」。後來像卡內基（Dale Carnegie）那些鼓吹潛能開發的人，可能誤會了科學家對大腦的了解和大腦功能上的差異，因而以訛傳訛，雪球愈滾愈大。

在一九二〇年代，科學家對大腦的了解的確不夠，除了視覺皮質、聽覺皮質、感覺皮質和運動皮質區的功能確定之外，大部分的皮質被稱爲「沈默的腦」（the silent lobe），不知道它們的功能是什麼，但是現在這些皮質的功能都一一找出來了，像額葉（frontal lobe）現在發現不但不沈默，它還是人格的所在地，它掌管計畫，資源分配，執行效率和情緒的掌控，現在被認爲「總裁腦」（the executive brain），所以「我們只用到一〇%的大腦」這句話是不對的。

至於本書作者庫柏（Robert Cooper）說我們體內有三個大腦，一個在小腸，一個在心臟，一個在大腦，我想作者是誤會了《第二個腦》（*The Second Brain*）這本書作者的意思。葛遜（Michael Gershon）提出「第二個腦」的意思是說人的消化系統與大腦有密切的聯繫，大腦中的神經傳導物質（neurotransmitters）如血清張素（serotonin）在小腸中都有它們的感受體（receptors），這是爲什麼有人緊張會瀉肚子，有人緊張會便秘，這個聯繫上的失常會引發神經官能症，腸胃的蠕動會也會直接反應到大腦的情緒中心，帶給我們所謂的「腸胃的直覺」（gut feeling），但並不是說我們有三個腦。

如果不追究作者對神經生理上的誤解，他所提出的一些教育的看法我倒是很贊成。比如說，他認爲不要讓弱點妨礙你，我就覺得很對。人沒有十全十美，有弱點是應該的，最主要是不要讓弱點妨礙你，所以關鍵不在有沒有弱點而是能不能有智慧，找到工作不需要用到你的弱點，這樣你就會很快樂，弱點就沒有妨礙到你。這也就是我們常說的「沒有教不會的孩子，沒有不可用的人才」，人才放不對位子、不得發揮長處就變爲庸才，找到適合自己長處的位子就是人才。有弱點的人可以用互補的方式與別人合作，截長補短，一樣能夠成功。

如果你將大部分時間花在改正弱點上，你會流失許多可以快樂的時光，你的人生會很痛苦，一整天都在拔草的園丁是種不出什麼美麗的花來的，這點對我們的教育界是當頭棒喝，目前我們的體制是一個數學不好的孩子叫他拚命做，勤能補拙，錯一題罰十題，錯十題罰一百題，這只會增加他對數學的恐懼感，使他想要逃學，並不能提昇他的數學能力。我們應該找出他的長處，使他在長處上建立信心後，才由長處入手，帶出他的弱點。自信心的建立不是每天對著鏡子叫「我最棒，我最好」就可以達到的，它是來自同儕長期對你的肯定。

我曾經看過一位數學只有個位數分數的孩子在拿到烹飪大獎後，臉上所浮現的自信心，他告訴我現在不怕數學了，煮菜做西點常要用到分數，如二分之一匙的鹽、四分之一匙的蘇打粉之類，用多了就發現數學其實沒有那麼難。也看到一位痛恨英文的孩子在出國比賽得獎後，回來便決心把英文弄好，因爲得獎給了他信心，覺得自己可能並沒有那麼笨，願意再試一次。這本書有許多激勵孩子上進的小故事，發人深省。

多年前，有一部金像獎電影叫《岸上風雲》(*On the Waterfront*)，片中男主角馬龍・白蘭度（Marlon Brando）恨恨地對他的哥哥說：「我本來可以變成不一樣的人，但是你叫我詐輸，使你的老闆贏得那場拳擊賽的賭注。看看我，我現在是個一事無成的小混混，但是我其實有機會跳脫碼頭環境，變成拳擊手的，我其實可以不一樣的。」這種放過一次機會使自己終身鬱鬱不得志，應該是最令人刻骨銘心的悔恨。作者說他最喜歡的一幅漫畫，恰巧也是我貼在冰箱上的那幅：「一隻貓告訴另一隻貓說：如果我過去不是那麼投入在抓沙發腳的話，我這一生應該會有更多的成就。」

人生最重要的是不要到晚年才後悔沒有好好過一生，「少壯不努力，老大徒傷悲」。我們要怎樣的苦口婆心，才能讓年輕人了解這句話的無限悔恨與無奈呢？歲月逝去是追不回來的，我在醫院裡常看到許多臨終的人說他死得不甘心，因爲他還沒有好好的爲自己活過。

這本書有許多警世之言、處世的楷模，值得我們效法，像他外祖父撐著癌症末期的身體替外縣市的孩子動手術，只因爲他不做，這個孩子就可能會死。他已瘦到剩一百磅，走路要人扶，但是一站到手術檯前，手便停止顫抖，全神貫注地操刀救活了這個孩子，雖然他自己耗盡體力，在手術不久後便過世了，但是這種作爲一個醫師的敬業精神令人敬佩，值得作年輕人的榜樣。

作者要我們從整體來看，從大處著眼，不要計較別人的小過失，我很贊成這種態度，所以今天替他寫這篇序。從整體看，這本書瑕不掩瑜，是一本勵志的好書。（原載於《另外的九〇%》，導讀）

6 科學和人文思考兼容

有人說台灣有兩種生意最好賺錢，一是開廟，另一是開補習班；而且是時機愈不好，生意愈好。對後者來說，任何事情只要打出「孩子的前途」這塊招牌，包管父母乖乖的掏銀，因爲現在這個競爭激烈的社會，大家都怕孩子輸在起跑點上。

在所有補習班中，以潛能開發、腦力開發的班收費最貴，生意最好。甚至連明顯的江湖郎中勾當「指紋測腦紋」，都有不少人帶著孩子去，爲的是想知道孩子將來聰不聰明，能夠拿幾個博士學位。所以在中國人心目中，孩子聰明與否占第一要件，快不快樂倒還其次。《本性難移？》這本書的英文名字叫 *Born That Way*，也就是說，一個孩子的未來，先天的成分有多少，後天父

書名：本性難移？
作者：William Wright
譯者：梁若瑜
出版：遠流

母、師長、社會可以著墨的地方又有多少。我一直覺得正確的觀念很重要，這個「正確」指的是知識上的正確而非政治上的正確。政治的正確會像浪淘沙一樣，隨著政權的移轉而消失，但是知識的正確不會，它只會隨著時光的流轉，把你帶到更高的境界。因此，我雖然知道基因和智慧的關係是個很敏感的話題（一九六九年，我剛去美國留學時就碰到簡生〔Arthur Jensen〕的報告出爐，群衆包圍他的家，燒他的房子，給我留下不可磨滅的印象），但是介紹新的知識進台灣是遠流《生命科學館》的初衷。因此，考慮再三，還是決定出版這本書。這本書將基因與行爲這個領域的歷史介紹得很淸楚，也將學者做不到學術獨立，爲了一己之私，使出各種手段打倒異己的問題赤裸裸的呈現出來。

目前生物醫學的進步使我們了解到，精神官能症不是佛洛伊德（Sigmund Freud）的心理動力問題，無法以面談的方式解決，這個看法早在一九八四年，美國精神醫學會（American Psychiatric Association）理事長南西•安卓遜（Nancy Andreasen）的《破碎的大腦》（*The Broken Brain*）中就已經很明白的顯現出來了。曾有精神科醫師開玩笑說，用面談的方式治療精神官能症，就好像用面談的方式治療腎臟病一樣有效。病人死了，問題也就不存在了。

最近，安卓遜又出了一本新書《勇敢的新大腦》（*The Brave New Brain*），更是把生物精神醫學推到一個新的境界。在書中，她談到神經傳導物質的不平衡所造成的行爲病變，不可避免的談到基因在神經傳導物質的分泌上所扮演的角色，如DNA出錯會導至暴力行爲，如果把老鼠體內製造單胺氧化酶（MOA-A）的基因剔除，這隻老鼠就會變得異常兇猛，如果將兩隻剔除這種基因的老鼠關在一起，牠們會撕咬不休，直到無皮無毛、遍體鱗傷爲止，如果把這個MOA-A打進老鼠體內，二十分鐘以後，原來糾纏不清的老鼠便回到自己的角落去蹲著了。MOA-A的缺乏會使老鼠大腦中血清張素和正腎上腺素（noradrenaline）大量增加，而這兩種神經傳導物質，現在醫學的研究已經知道與我們的記憶、學習、情緒都有關係。二十一世紀腦造影技術的進步已經逐漸把大腦的奧秘解開，也使我們可以重新檢視基因與行爲的關係。

報載有個連續性犯罪者，在假釋出獄三十六小時之內，又連續強暴了三個女生，再度被抓回監獄。看到這種新聞，我們感到很痛心，因爲目前已有很多的證據指出行爲與大腦有關係（美國德州甚至有個強暴犯要求法院將他去勢，因爲他控制不了自己的行爲），一個遭強暴的人，一生都已改變了，不管如何療傷，創痛陰影永遠存在，因爲這是已經完成的事實，後來的治療只能改變對事實的觀點，但無法改變事實。對假釋的犯人來說，假釋期間再犯案，以後不得假釋，雙方付出的代價都很高。但是假如司法對生物基因與行爲的關係的了解多一點，說不定這個悲劇可以避免。

知識是力量，因爲有知識才會有獨立判斷的能力，才不會被人左右或矇蔽。這本書從明尼蘇達雙生子的研究開始，討論基因和行爲的關係，一直到政治正確和社會福利、教育政策的制定，可以說非常的詳盡。作者是科技記者，有著新聞記者的敏感度和追根究柢的精神，他寫這本書下的功夫不輸一篇博士論文。書中討論到很多美國社會的問題，其實我們台灣也正走向同樣的命運（有人說大陸是十年前的台灣，台灣是十年前的美國），或許他山之石可以攻錯，當種族與基因智慧在美國掀起軒然大波時，台灣不要用本土／外來政權來分化原有的凝聚力，書中最後幾章有關暴力、屠殺的部分可以讓推動群衆運動的人深思。

這是一本兼有科學和人文思考的好書，我希望讀者會像我一樣的喜歡它。（原載於《本性難移？》，導讀）

7 活得久不如活得快樂

我常覺現在的人很多事本末倒置，在做事的過程中忘記了最原先的目的。比如說，人應該是因爲活著快樂才會希望長壽，多享受一點生命的樂趣；但是現代人爲了長壽，卻禁止自己享受許多可以帶給他快樂的東西，看到美味的巧克力想吃又不敢吃，連自己的生日蛋糕都不敢吃，只能站在旁邊猛吞口水，看著祝壽人稱讚好吃。不知從什麼時候開始，所有我們小時候喜歡的東西都對健康有害了，麵茶中本來定要放些豬油才會香，現在改放植物油，失去了小時候麵茶的風味，難怪西諺說：「假如你喜歡它，它一定對你的健康有害。」

爲了活得長一點，我們黎明即起，爬山、跑步、游泳，所有

書名：越快樂，越健康
作者：Ornstein & Sobel
譯者：洪蘭
出版：遠流

含糖、含脂的東西都得忌口，本來「人家請客我作陪」是最沒壓力、最愉快的美事，現在，每樣佳餚一上桌就先問膽固醇含量是多少，脂肪、糖份是多少，明明是你心愛的食物，卻只能淺嘗即止，擔心今天的一小口，明天腰圍的一大吋，吃大餐變成愁眉苦臉的事。偶爾忍受不了誘惑，開了戒，回家後便到廁所把它吐出來，或是立即去跑幾圈操場以彌補心中的罪惡感。

看到這種情形，我總是覺得有個地方不對勁，因爲人應該是爲了快樂而活，而不是爲了活得久一點。美國的幽默專欄作家大衛・貝瑞（David Barry）寫過一本諷刺這種情形的書《運動直到你翹辮子爲止》（*Excise Until You Drop Dead*），也就是說，爲了長壽，你拚命運動，直到它累死你，使你喪命爲止。假如你喜歡爬山、跑步，當然沒話說，這些都是很好的運動，但是假如你並不喜歡運動，純粹是爲了希望活得長一點而勉強自己時，我一直覺得大可不必，人生一定有別條路是可以既運了動、又帶給你樂趣的。

二〇〇二年我到美國開會，在書店翻閱到《越快樂，越健康》這本書，裡面所講的正是如何快樂的達到健康的目的，如何高高興興的，在不知不覺中消耗掉多餘的脂肪。這本書就如英文所說的 take the words out of my mouth ——把我心中的看法都講了出來，一時大喜過望，立刻掏錢買下來，一邊看一邊翻譯給我母親聽，因爲她常常「爲了我好」限制我吃好吃的東西，令我「痛不欲生」，懷疑如果人生好吃的都不能吃、好玩的都不能玩，活那麼久還有什麼意思。

我不知道我改變了多少母親的看法，但發現我的三個姊妹沒有像防賊一樣的防我父親吃甜的了。我的父親得齡八十九，有四十年的糖尿病歷史，家人爲了他的健康，採二十四小時輪班監控方式，絕對保證他的飲食是無鹽、無糖、無油、高鐵。換句話說，父親的飲食和我兒子養的兔子非常相似，這也常令父親「痛不欲生」，時常要自己溜上街補充些營養。

我想，這本書最好的地方是它強調生命最重要的是活得快樂、活得有意義，不要捨本逐末，爲了長命犧牲快樂。但是不要誤會，這本書並沒有鼓勵你大吃大喝，整天躺在沙發上作馬鈴薯不動，它告訴你生活上有許多方式，是使你既可以達到健康的目的又可以帶給你快樂的。自己操作家事就是一個例子，掃地、拖地板所消耗的熱量，相當於你到健身房踩若干分鐘的運動腳踏車，但是你不必繳幾十萬元的會員費或月規費，還可以同時在家中帶孩子。到院子裡種花植草，讓你既呼吸到新鮮的空氣又強了筋骨，還省下不少的園丁錢。

它要你節省汽油不要兜圈子以求一個最近的停車位；停得遠一點，多走兩步，對你心臟好又讓你欣賞到路邊的野花、枝頭的雲雀。它要你回家陪兒子踢足球，不要去俱樂部花錢找罪受，它們消耗的熱量是一樣的，但是孩子會感激你陪他玩，俱樂部的舉重機、啞鈴卻不會感謝你。它告訴你偶爾大吃一頓沒有關係，不必有罪惡感，只要不是每天大魚大肉就無妨。

快樂會增進你免疫系統的功能，使你比較少生病，身體更健康。任何一個醫師都知道，一個沒有求生意志的人，再高明的醫術也救不了他。對老年人來說，辛苦了一輩子，偶爾開點葷，吃點好的東西，帶給他的快樂遠大於膽固醇帶給他血管的壞處。

天下事往往不能十全十美、盡如人意，如何作取捨常是對我們智慧的考驗。我認爲一個快樂有意義的人生遠大於長而痛苦的人生。每一個人對生命的要求不同，對健康的看法也不同。在社會極力鼓吹健身俱樂部、瘦身美容的今天，我覺應該提出一些其他的思考方式，不必像香港的有錢人一樣，繳了巨款到深圳的減肥農場摘玉米、割水稻。

你可以出來作義工，打掃公園，清除社區的野草、垃圾，既減了肥又使社區煥然一新，一舉數得。作志工使你碰到志同道合的伙伴，朋友使你的生活多彩多姿有活力，活力就使你更健康。這個健康是快樂的健康，不是愁眉苦臉、抑制自己的健康。希望這本書能帶給讀者快樂、健康的一生。（原載於《越快樂，越健康》，譯序）

8 改變可改變的，接受不可改變的

一九九四年我回國在國立中正大學教書，有一天學生拿了一則剪報給我看，是一所精神病院的醫師寫的有關同性戀文章，大意是父母離婚，男孩跟著母親長大，深受母親寵愛，後來這個孩子就可能變成同性戀等等；也就是說，把同性戀的成因歸咎到家庭環境的因素上，暗示同性戀者是小時候沒有父親的角色模範，和母親太親近等等原因造成的。我看了十分驚訝，因爲同性戀有生理上的原因，與胚胎期荷爾蒙不正常的關係已經是「事實」而不再是「假說」了，爲何國內的醫師還不知道，還會寫出這樣的文章登到報上誤導民衆？

不久，我的中學同學因爲婆家的人認爲孩子自閉症（autism）

書名：改變
作者：Martin E. P. Seligman
譯者：洪蘭
出版：遠流

是她這個做媽媽的太冷漠造成的，所以帶著自閉症的孩子一起跳河自盡了。這件事對我的衝擊非常大，科學上已經知道自閉症的孩子有大腦病變，它與懷孕時病變有關係，與母親的教養方式無關——想不到無知竟然可以致命！我深切感到知識的力量與無知的可怕，所以開始積極找這方面的資訊介紹到台灣來。

我找到一九九三年，費城賓州大學（University of Pennsylvania）的馬汀・塞利格曼教授所寫的《改變》（*What You Can Change and What You Can't*）一書，書中仔細檢討焦慮症（anxiety）、驚恐症（panic disorder）、憂鬱症、貪食症（bulimia nervosa）、同性戀、酗酒等問題的成因，將它們分成可以改變和不可改變兩類，然後指出正確對待這些問題的方法。塞利格曼教授認為對於不可改變的我們必須有雅量接受它，對於那些可以改變的，我們應該有勇氣面對它。更重要的是要有智慧足以區分什麼是可以改的、什麼是不能改的，因為拚命努力改變一件不可能改變的事是徒勞無功的，只會使自己失去信心，把自己推入憂鬱的深淵。

我覺得他處理事情的態度十分正確，我們必須知道能力與限制，才不會給自己找上許多無謂的煩惱。有了正確的知識和觀念，我們才可以少一點自責，多一點自信的過日子。

我認為這本書最好的地方便是告訴我們，觀念是一切改變的根本，而你自己是治療的關鍵。對於過去的事情我們無法改變，所以不必一直回想木已成舟、不可挽回的事，但是知識和意志力可以改變現在生命的圖案，我們應該集中心力在目前可以改進自己的地方。放下屠刀，可以立地成佛，但是猶疑不決也可以蹉跎一生，一事無成。這本書最重要的一點是說服我們，命運是操縱在自己手上的，我們要有勇氣改變那些可以改變的行爲，接受那些不可以改變的事實，而關鍵是我們必須有智慧判斷什麼是可以改變，什麼是不可以改變的。

我沒有辦法增加你的勇氣或擴大你的視野，放大你的胸襟，但可以提供你知識，增加你判斷的智慧。台灣目前的確已到「向上提升」或「向下沈淪」的轉捩點，一個知識分子已經不能再留在象牙塔中做自己的研究，不管外面的大環境。所謂「覆巢之下無完卵」，大環境的劣化已經嚴重危害到國家的生機。教育的普及是提升競爭力的唯一方法，必須能利用書本這個無聲的老師來改變我們國民一些錯誤的觀念。只有將競爭力厚植於每一個國民之中，我們才可能有機會與別國競爭，只有從心中自動自發的改變才可能事半功倍。

我們需要所有的人一起努力提升我們的社會風氣和國家競爭力，我們也需要增加生活的智慧以使自己活得更快樂，這是一本可以達到這兩個目的的好書。（原載於《改變》，譯序）

9 歸真返璞，終身不辱

現在的社會流行速食，知識的販賣也是一樣，字體印得大大的，行間弄得寬寬的，看似一本厚書，拿起來翻翻二十分鐘就看完了。但是這本書完全不是這樣，令人耳目一新，最主要的是整本字字珠璣，每一句話都有分量、都發人深省。我已經很少有這種看完一遍靜坐沈思良久，再看一遍才敢下筆寫序的經驗了。

《破壞性情緒管理》這本書是二〇〇〇年三月，達賴喇嘛在印度德蘭薩拉與幾位世界級的科學家討論毀滅性情緒的會議記錄，執筆者為丹尼爾・高曼（Daniel Goleman）。他的名字台灣讀者應不陌生，因為他寫的《EQ》在台灣暢銷，幾乎人手一本，他本身是羅格斯新澤西州立大學（Rutgers State University of New Jersey）

書名：破壞性情緒管理
作者：Daniel Goleman
譯者：張美惠
出版：時報文化

的講座教授，邀請的與談者也都是世界一流的：一位是保羅・艾克曼（Paul Ekman），他是心理學界研究情緒的始祖，目前在加州大學舊金山分校（University of California at San Francisco）醫學院任教；另一位是威斯康辛大學（University of Wisconsin）的講座教授李察・戴維森（Richard Davidson），他也是全世界極少數用核磁共振（fMRI）研究人類情緒的神經科學家，大概憑這三個人的名字就可以保證叫座了。其實與會者都是經過高曼教授精挑細選，所以這本書的知識性非常高，這是值得推薦的第一個原因。

第二個原因是：在這場會議舉行後不久就發生九一一事件，這正是毀滅性情緒作用的後果，人類因怨恨而引發殺機，而且這種怨恨是集體的潛意識，深藏在人類心靈的黑暗處，蠢蠢欲動，我們可以確定九一一事件會再現，除非我們能了解毀滅性情緒的根源，阻止這些破壞性念頭在人們心中生根。因此這本書的內容有時代的迫切性，值得老師和父母仔細看，因爲情緒影響心情，心情影響學習，最重要的是長久的心情狀態會變成性情，直接影響我們的健康與成就。

同理心是生命教育的根本，是仁愛的先決條件，也是對抗毀滅性情緒的利器，台灣生命教育推行得如何，我想大家從報紙上青少年自殺率及犯罪的殘暴情形可窺知一二，我們無法使政府看到這生命教育的重要性，但是這本書應會使「選民」看到它的必要性而迫使政府採取行動。誠如達賴喇嘛說的，改變社會不是只靠宗教教義，要從一般教育著手，一個具科學基礎的教育才會有希望。從一個宗教領袖嘴裡聽到社會改變必須從有科學基礎的教育著手，眞讓人肅然起敬。

第三個値得推薦的理由是它是少有的科學與宗教的學術性探討，沒有傳教，沒有口號，純粹就佛學與科學雙方的觀點討論，所以它會帶給你感動，因爲它是人類知識的精華。

我不信教，但是看完本書對達賴喇嘛有無上的尊敬，難怪他會得諾貝爾和平獎。他的知識、心胸、氣度都令人敬佩，放眼世界還沒有幾位領袖足以與他相提並論。我們在科學界知道跨領域的對談很困難，更不用說跨文化的對談。高曼邀請與談者的原則是先看專業能力與心胸是否開放，再看有沒有名氣，這些學者都對佛學有所接觸，甚至比我們東方人還知道得多。佛教稱貪瞋癡爲三毒，是破壞性的情緒，又將它稱爲惑障，因爲它阻礙心靈認清事實，造成心靈與眞實之間的距離，所以達賴喇嘛把煩惱定義爲對眞實的錯誤認知，要去除煩惱就必須認清眞實，要認清眞實必須有科學家那種觀察力，哲學家的邏輯推理。

在這裡，我們看到百川入海、萬衆歸一，佛學與科學走到盡頭竟是同源的。所以達賴喇嘛說這就像兒童受教育的過程，當知識累積的愈多時，無知便一點一點的褪去，求知的最大意義在縮小認知與眞相的距離，因此他說求知使人更接近眞相，從而學會解決自己的問題，這是我所看到對「知識就是力量」最好的詮釋。

破壞性情緒使我們看不清眞相，因此達賴喇嘛說，談教育的人應該先建立一個重要的觀念：清澈的心靈是學習的必要條件，這點眞是非常的正確，心淨才能專心，專心才能學習。我曾經做實驗做到不知今夕是何夕，忘了報稅被罰款，這是心淨；而搬家前後一個月都看不進書，這是心浮。所以做學問的人不可能去投資房地產或作股票，因爲那會把心思弄濁，不能思考。中國有句話「歸眞返璞，終身不辱」，要去除破壞性情緒正是這八字眞言。當正向的情緒出現時，破壞性情緒自然就被擠出去了。這是一本充滿智慧的書，看完了有如享受到一場心靈的饗宴。或許愛情不能當麵包，但是心靈饗宴可以讓你忘卻飢餓。（原載於《破壞性情緒管理》，推薦）

10 可以量化的愛

「愛」、「親密關係」這種字眼在科學上是個禁忌，因爲它看不見，摸不著，無法客觀的測量，很多科學家都認爲假如你不能測量它，它就不存在，科學家是不做不存在東西的研究的。因此，稍微有點地位的科學家對「愛」這種「軟性」字眼都敬鬼神而遠之，生怕惹上一身騷，失去自己科學家的清譽。所以當我看到羅伯・史登堡教授的名字出現在《愛，是一個故事》這樣的書名之下時，覺得十分好奇，他是耶魯大學的IBM講座教授，爲什麼要蹚這個混水呢？再看到出版社的名字是牛津大學出版社，這更是令人好奇了，牛津大學出版社態度嚴謹，稿子都先請學者審過，即便是諾貝爾獎大師的稿也都送審，不講情面的。因此對

書名：愛，是一個故事
作者： Robert J. Sternberg
譯者：刁筱華
出版：遠流

於牛津出版社加上IBM講座教授這樣的卡斯，配上這樣的書名，深感不解。但是在看了此書之後，我發現牛津出版社出版這本書是有它的道理的。

這本書在學術上是一個新的嘗試，史登堡教授畢竟是正統實驗心理學出身的，不同於一般的婚姻顧問或江湖郎中，他想用心理計量學（psychometrics）的方法將一個看不見的主觀東西數量化，一旦量化了就可以用科學的方法研究它。不論他是否成功（這點見仁見智），至少他的努力是值得鼓勵的。科學的態度就是從異中求同，同中求異。他將愛的故事分類，找出每一類型的診斷指標，對這一類的行爲加以分析，找出優點和缺點，讓人們自己對症下藥。

達爾文（Charles Darwin）在《人和動物的情緒表現》（*The Expression of the Emotions in Men and Animals*）一書中指出，愛是所有情緒中最強烈的一種，但是從科學的角度看，它也是最難研究的一種情緒。西方的科學受到笛卡兒的哲學影響很深，笛卡兒是心物二元論的始祖，所以整個西方科學的精神是機制論（mechanism）的看法。笛卡兒認爲人和動物的情緒是一樣的，都是化學反應而已，唯一的差別是人有靈魂，可以解釋情緒，而動物沒有，所以情緒是屬於靈魂的，不屬於身體的。靈魂的東西不能測量，所以科學家就避而不談。

其實愛對人類的心理和生理健康來說非常的重要，醫學上，我們已經知道情緒對健康的影響很大，美國賓州東部有一個小城叫做Roseto，該城居民心臟病死亡的比率比鄰近的兩個小城低，當研究者把年齡、性別、職業、生活習慣等變項都考慮進去後，該城的死亡率仍然低，尤其是這三個小城共用一間醫院，所以醫療設備及醫師都是相同的，它們的地理環境、人口、社經結構及其他條件都很相似，因此這個死亡率上的差異就引起學者的注意。經過仔細研究後，發現這個小城是一八八〇年代義大利南部移民建立的，當地的居民家庭結構緊密，是傳統的大家庭，全城的人牽親帶戚，彼此都認得。所以老年人生活不寂寞，精神有寄託，大家守望相助。研究者發現愛和這種緊密的家庭關係，是這個城心臟病死亡率低的原因，因為當六〇、七〇年代社會風潮改變，這個小城三代同堂的緊密家族關係瓦解後，它的心臟病死亡率就爬升得與鄰近的兩個城一樣高了。

另外，有一個研究也發現，住在日本、夏威夷和加州的日本人心臟病和高血壓的罹患率不同：住在加州的日本人比住在日本的高三倍。原來，住在加州的日本人已經全盤西化，走上個人主義之路，不再是家族社會。全盤西化的人得心臟病的比例竟然是傳統日本社會的人的三倍！這眞是驚人的發現。有伴侶支持、朋友關心竟然可起死回生，從科學的眼光看來覺得不可思議。但是許多臨床醫師會告訴你，手術很成功的病人，如果沒有求生意志，一樣可以很快死亡。這種人際關係在健康上的重要性已經讓現代醫學不敢再忽視，而這些人際關係裡面最重要的就是夫妻關係。在心臟病的死亡率因素上，是否結婚一直是顯著的影響因子，甚至結了婚、婚姻關係不甚好的人，都比單身的人在統計上活得久。

假如婚姻關係對我們的健康和生存如此的重要，我們當然應該研究維持一個良好的婚姻關係的因素是什麼。史登堡教授去年曾來台演講，我們同桌吃飯時我問他爲何想要研究愛，難道他不怕被同事吐口水嗎？他很坦誠的回答道，他自己覺得愛是心理學上最重要的一個議題，但是沒有人敢碰它，他在智慧三元論上已經闖出一點名聲了，很想做一些自己想做的事（他大笑說他不必擔憂被學校解聘）。他說他深感有一個美滿婚姻，有一個知心的伴侶是人生最大的幸福（他認爲可以算得上馬斯洛〔Abraham Maslow〕需求層次那個三角形的最高峰），但是他自己經歷過失敗的婚姻，感受過離婚的痛苦（形容爲看不見任何光的黑暗隧道），所以甘冒大不韙來研究婚姻的本質，也就是他所謂的「愛情的故事」。

史登堡教授認爲每個人心目中都有一個愛情故事，假如兩個人的故事很相同，那麼婚姻就會很美滿；如果故事很不相同，同床異夢的機會就很大。他在蒐集很多的親密關係後，將之分類，找出其中的異同，使「愛」可以被心理計量的方式量化，作爲科學研究心理、情緒的第一步。他提出愛的三角理論，不同的愛牽涉不同的「親密」、「熱情」與「承諾」，這三種因素的排列組合製造出本書中所舉的類型。透過對類型的自我分析，我們可以問自己我喜歡故事的哪一部分，不喜歡的又是哪一個部分，我們如何改變它，重新設計一個結尾。很多時候配偶身上已有我們想要的東西，但是因爲我們的認知沒有改變，所以看不見它，就像電影《當哈利遇見莎莉》（*When Harry Met Sally*）中的情節一樣，認知的改變可以使舊朋友變成新情人。

其實史登堡教授所講的有許多是我們已經知道的，只是沒有系統化的好好研究它而已。現代人成天喊空虛，喊寂寞，其實這個空虛和寂寞是來自心靈的不溝通，現代的夫婦一週有多少次共用晚餐，餐後一起收拾，一個洗碗一個抹桌子，在廚房中聊天的？物質的慾望使我們把時間賣給公司老闆：加班、兼差，求名、求利。我們錦衣玉食的住在華廈中，但是午夜夢迴常很茫然不知人生是爲了什麼。一個好的婚姻可以帶給你生命的目的。的確，有一個知心的人在家中等你安然歸來，是一種非常溫馨的感覺，兩人一起奮鬥也的確給生命帶來很大的意義。這本書告訴你如何用認知的了解去改善婚姻關係，這本書不是婚姻指南，也不是教戰手册，它並沒有告訴你應該怎麼做，因爲每個人的情形不一樣，沒有人可以告訴你應該怎麼做；但是它教你如何了解你的愛情故事，它提供很多自省的法則及四種了解的方法，供有心人應用。

能夠有個美滿的婚姻的確是人生最大的幸福，但願這本書能幫助每個人達到馬斯洛的最高境界。（原載於《愛，是一個故事》，審訂者的話）

11 積極的心理建設

兒子的同班同學跳樓自殺了！

初聽到這個消息時，驚得從椅子上跳起來，一個花樣年華的女孩爲什麼這麼快就放棄生命？我第一個反應是打電話給級任老師，請她把班上座位重新安排過，使原來矩陣中的那個空洞不再突現。死者已矣，重要的是如何重新心理建設這些生者。我想和孩子談「自殺」這個概念，但是話還沒講完，兒子就打斷我說：「媽，我今天功課很多，妳要不要等我做完功課再來講妳的道理？」我不放心的追問：「你同學自殺你有沒有很難過？」他想了一下說：「有一點，但是至少她下星期不必考段考。」

接下來的幾個週末，我仔細觀察來家中做功課的兒子的同

書名：學習樂觀．樂觀學習
作者：Martin E. P. Seligman
譯者：洪蘭
出版：遠流

學，聆聽他們的對話，我發現我們的國中生竟是如此的悲觀，沒有鬥志，完全沒有一個十三、四歲孩子的朝氣。他們在功課上碰到難題，不會彼此討論，集思廣益努力思考找出答案，而是在問一遍「喂，第×題有沒有人會做？」大家都搖頭後，就輕易跳過去，不再管它。他們連試都沒有試一下，說不定你對這一題可以解決的這一半，加上我對這一題可以解決的另一半，合起來就是解決這個問題的方法。

這種連試都不試就放棄的態度，使我想起心理學實驗中「習得的無助」的老鼠。這些老鼠在前一個實驗情境中學習到不論牠怎麼做（心理學上的術語就是「反應」）都不可能關掉電源，使牠不受電擊後，再把這隻老鼠放入水箱中。本來老鼠一入水就會本能的把頭伸出水面以求呼吸，同時四肢會不停的擺動划水；但是這隻習得的無助的老鼠，你只要連續把牠的頭按入水中幾次，牠就不再繼續掙扎，好像接受了這個不可抗拒的命運，自沈於底了。相較於控制組（即沒有接受任何先前電擊的老鼠），這眞是個自殺的行為，因為控制組的老鼠會在水中奮力掙扎，雖然頭被按下去的次數一樣多，但是牠們到實驗終了都還在掙扎，沒有放棄求生的意志。

為什麼我們的孩子這麼悲觀，這麼快就認定這個問題我解決不了，這麼快就放棄？北一女的學生，台大、師大的學生，為什麼在進入人人稱羨的學校後，用自己的手結束自己的生命？這個問題一直困擾著我。加上來到鄉下教書，目睹台灣所謂後段班對學生身心的戕害後，我決定把塞利格曼所著的這本書翻譯出來。

這本書在美國是本暢銷書，作者雖然是學術界的人（他是賓州大學的教授，也曾獲選爲美國心理學會主席），但是他沒有像時下一般學者那樣故意把文字寫得艱深難懂以凸顯自己的學問（這是爲什麼拜讀國內學者的文章都一定要靠濃咖啡才能支持到最後一頁）。他用淺顯的文字把悲觀所造成的身心傷害，以及引發憂鬱症的背後心理機制清楚地講出來。他是受過嚴格訓練的實驗心理學家（他的指導教授是當時行爲學派中最有名的所羅門〔Richard Solomon〕教授），所以他的實驗都乾淨俐落，有說服力。他發現「解釋形態」這個導致悲觀和樂觀的基本認知因素後，在各個不同的情境下驗證它，以求殊途同歸，確認這個因果關係的成立。他這種嚴謹的下結論態度，值得我們的學生效法（我們的社會大衆和媒體記者又何嘗不該？）。目前的國內學術界正吹起一股歪風，辯論「質的研究」和「量的研究」孰是孰非，這其實是個無意義、浪費時間和精力的辯論，不管是什麼方法，能夠做出成果的就是好方法。

塞利格曼就是個好例子。不管用什麼方法研究一個問題，有敏銳的觀察力（看到別人所未看到的東西）、清楚的頭腦（思考這個問題可能的幾種原因），最重要的是鍥而不捨的精神，就會成功。這三個因素中，我們的年輕人最缺的就是第三樣——鍥而不捨的精神。他們太容易放棄了，一點挫折都不能承受。他們說：「死是最好的解脫，一死百了。」死眞的是最好的解脫嗎？我們的社會、我們的教育哪裡出錯了？

在這本書中，塞利格曼沈痛的指出父母失和、離婚對兒童所造成的傷害。他自己是離過婚的，但是在書中他也說假如你是把孩子放在第一位，關心他的福利的話，想辦法和你的配偶和平共存。兒童患憂鬱症的年齡隨著社會文明的進步逐年降低，為人父母者能不警覺嗎？塞利格曼離婚時，孩子五歲，每週都要問一次：「你跟媽媽這週會不會再結婚？」讀著多麼令人心酸！孩子是多麼渴望一個幸福的家庭。哈洛（Harry Harlow）的恆河猴實驗告訴我們一個自小被隔離、沒有母愛的猴子，長大後不能成功的交配，用人工授精的方式使其懷孕後，對產下的小猴子也沒有母愛，不會照顧牠，反而會虐待牠。放眼我們的社會，我們是否正在自食惡果？物質上的享受眞能填滿精神上的空虛嗎？

心靈的空虛加上物慾的橫流，造成我們今天社會的亂象，但是爲什麼會有心靈的空虛出現？這個背後的機制卻很少人討論。在本書的最後一章，塞利格曼很精闢的談到「自我意識的膨脹」和「社會意識的薄弱」這兩個造成社會冷漠、憂鬱症氾濫的原因，個人主義的抬頭使得一切以自我爲中心，「只要我喜歡，有什麼不可以」，無視法律、規範，個人不擇手段的追求個體的成功。相對的，在失敗時，當然也就是個人的錯，因爲除了我以外還有誰呢？既然沒有別人存在，當然好壞都是自己的事，缺少了中間那層家庭、團體、上帝、國家的緩衝層，個人的失敗看起來就是天地的毀滅，自殺也就變成唯一解脫之路了！

翻譯不等於著作，在學術上是不算「業績」的。但是一本好書的影響力是看不見的，它可以拯救一個淪落的靈魂，也可以打開一個心靈的世界。爲此，我很想每年介紹一本好書到國內來。拂曉和凌晨是我唯一可以安靜工作的時間，若是我的犧牲睡眠可以對國內的青少年，甚至在公司行號上班的大人，心理有所建設，可以活得更愉快些，使生命更有意義些，那麼這些睡眠又算什麼呢？

但願這本書能夠讓所有遇到挫折的人，爬起來，彈掉塵土，重新面對生命給你的磨練！

（原載於《學習樂觀・樂觀學習》，譯序）

12 心是物的主宰

雖然在一九二九年佛萊明（Alexander Fleming）發明盤尼西林之前，醫師基本上對疾病是束手無策的，但是有醫師照料的病患還是比沒有的好得快，病患還是覺得被醫師摸一摸、聽一聽很有效，所以有人說十八、十九世紀的醫師，是以他的「魅力」治病的。一直到現在，雖然因爲科技的進步，發展出許多大腦造影技術如PET（正子斷層掃瞄）和fMRI（功能性核磁共振）使我們可以看到人在思考時大腦內部的工作情形，但是我們還是不能解釋爲什麼醫師給的糖片（所謂的安慰劑效應）可以有三〇%的藥效。我們只知道病患對醫師的信心、對生命的樂觀進取態度在康復的過程上很重要，但是不知道它的機制是什麼。

書名：愛與生存
作者：Dean Ornish
譯者：洪蘭
出版：天下生活

有一個安慰劑的研究是這樣的：實驗者隨機將得到同一疾病正準備開刀的人分爲兩組，一組的病患在開刀前一天，由麻醉師到病房告訴他開刀的程序，在說明麻醉的過程之後便走了；另一組的病患也是聽到同樣的話，但是醫師是坐在他的床前，握著病患的手，眼睛看著病患，親切的與他話了五分鐘家常才離開。第二天手術時的外科醫師和護士都不知道病患屬於哪一組，只有研究者和麻醉師知道。結果，第二組的病患開刀後所需的嗎啡量是第一組的一半，而且早了二・六天出院。在住院費高達五千美元一天的美國，這個研究引起醫院和保險公司的注意，使得安慰劑效應的研究變成許多心理學論文的題目。我是個念科學的人，本來對這些測量不到的東西都不相信，但是在經歷過我父親的心臟手術後，不得不對親情、意志與毅力在生命中所扮演的角色刮目相看。

我父親有四十年糖尿病的歷史，平時每餐吃七、八顆各式各樣的藥丸：降血糖的、降血壓的、助心臟的不等，他曾經得過一次嚴重的心肌梗塞，使得左心房的肌內壞死。因爲心臟病的關係，使他的生活品質變得很差，許多想做的事都不能做，常常要戴氧氣罩，胸口才不會痛，所以最後他決定做心臟血管繞道手術，從腿上取下一截靜脈血管替換掉原來已阻塞的心臟血管。在台灣，因爲他的年齡和病歷，很多醫師不敢開刀，都對我們說：「老人家已經活到八十多歲了，何必受這個開刀的苦。」但是因爲父親本身有活下去的願望，所以最後決定去美國開刀，動手術時年紀是八十八歲。我們七個兄弟姊妹都從全美各地飛來，一起陪父親去醫院動手術。

當天心臟外科一共開五個刀，我父親是第一床，也是年紀最大、身體最弱的一個，想不到父親手術後康復得最快，第二天就下床走動，五天後便出院了。父親出院時，隔壁床四十三歲的女士仍然住在加護病房中。回家後我們幾個姊妹自己商量了一下，排了一個值勤表，兩人一組，每個人來加州陪父親一個星期，前後各多留一天以便交接照顧父親的細節。我們自出國念書後便分居美國各地，平日相聚的時光不多，這次父親開刀彷彿又帶回了三十年前全家聚集在一起的時光，重溫在家做女兒時的情景。父親的身體恢復得非常快，兩個月後便坐飛機回台了。

當時，我們只覺得很慶幸，並沒有去想爲什麼他的條件比別人差卻比別人康復得快，但是在看了歐寧胥醫師（Dean Ornish）的《愛與生存》之後，才發現父親復原得這麼快，原來與我們的家庭關係親密、父母感情很好有關係，和父親的樂觀個性、求生意志強也有關係。我們對父母的敬愛增加了父親求生的勇氣，家庭生活的和樂使他不願意離開這個人間；父親編族譜的心願沒有了結也使他有很強的求生意志，要趕快活著出院，因爲美好的明天在等著他。這是我第一次感覺到人雖然是有機物，但是一切不能全以生物的機制看待，「心」還是「物」的主宰。

賓州大學的馬汀・塞利格曼教授寫過一本《學習樂觀・樂觀學習》，將他二十年來動物實驗的發現與心得用最淺近的文字寫出來，告訴大家沮喪是健康最大的敵人，心情的憂鬱、無助無望的感覺會引起免疫系統的衰退。書中提到有一個研究，在配偶意外死亡之後十八個月，如果本身體質有致癌傾向的人很容易就得到癌症，這些證據使人不得不重新思考情緒對健康的影響。

二〇〇〇年，《康健》雜誌的殷允芃發行人，請我將歐寧胥醫師的《愛與生存》翻譯出來，介紹給台灣的讀者。我覺得這個工作很有意義，便答應了下來，利用暑假將它翻出來。這本書寫得非常淺近，也舉了許多研究上的例子說明家庭關係、親友支持的重要性。在工業化的今天，傳統家庭瓦解，人際關係疏離，醫藥的發達使得人的壽命延長，但是長壽的老人自己獨居的例子愈來愈多，老人們普遍感到孤離、苦悶。所以在目前這種趨向老年社會的台灣，如何防止老年疾病的發生就變得刻不容緩，這不只是健保費用支出的問題，也是社會中堅分子切身的問題。

每個人都有父母，繁忙的科技社會生活使我們無法晨昏定省，老人的健康就成爲子女心中最大的隱憂。心臟病、高血壓這種慢性病是需要長期的治療和照顧的，這種照顧的要求在子女無能爲力時，就愈來愈變成一個社會的負擔。因此，最好的方法便是從根本做起，教導老人心理衛生的重要性，鼓勵老人走出戶外，每個星期至少與友人聚會一次，如果身體允許，老人去做義工是個雙贏的事情。另外，在這個離婚率高的現代，本書也告訴我們家庭親密關係對孩子健康的重要性，這個影響甚至一直到三、四十年後孩子的健康。

家是人生的避風港，是個最安全的地方，如果我們沒有一個溫暖的窩可以回來紓解一下外面的壓力，精神很快就會崩潰的，我想即使不懂得醫學上的原理，大家也能體會爲什麼一個不快樂、工作緊張的人會短命了。

每個人一生中都會碰到一兩本改變他人生的書，我希望這本書會是改變很多人健康的一本書。（原載於《愛與生存》，導讀）

13 在灰色地帶掙扎的人

在現代化的工業社會中，分工精細，生活繁忙，人與人的互動範圍減少，人際關係冷漠，工作的壓力增加，家庭的溫暖減少，加上物質慾望橫流，人們減少了探索自己心靈的機會，所以現代精神病的病患大幅增加。《人人有怪癖》這本書所談的，就是那些行爲有點怪異，但還不到精神病患的程度的所謂處在灰色地帶的人，這些人在你我的周遭隨處可見。

比如說我在美國工作的時候，曾經有一位同事，他是公認的「怪人」，每天的生活流程一成不變，事實上，他不能忍受絲毫的改變。如果某件事不是依照他既有的固定方式做的話，他一定要倒回去，重新來一遍，不然他一整天坐立不安，非得重做一次

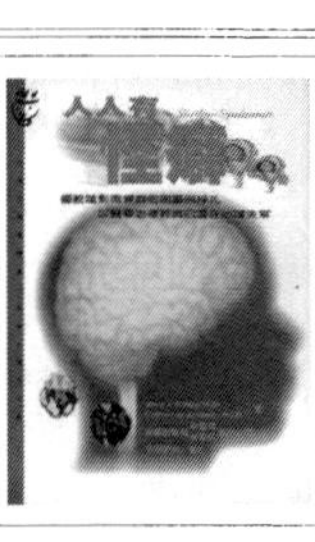

書名：人人有怪癖
作者：Ratey & Johnson
譯者：吳壽齡．林睦鳥．林春枝
出版：遠流

才可以。又如，他從公車站走到實驗室的大門是四十二步，每一天都是走四十二步到實驗室，多一步少一步都不行。如果半途有人與他打招呼，亂了他的步法，他必須退回站牌處，重新來過才行。我們都學會了走路時不跟他打招呼，不然他一輩子都到不了辦公室。他的抽屜井然有序。鉛筆都削得很尖，頭朝一個方向。他衣櫃中的衣架也全部朝一個方向。最受不了的是與他出去吃午飯，他必須把找回來的零錢全部整理清楚才肯離開櫃檯，他皮夾子中的鈔票是人頭朝上，一張張整整齊齊的疊好，五元、十元的分門別類，各用迴紋針別好。

我第一次看到他時，眞的以爲他是神經病，後來才發現他除了這個怪癖，其他都很正常。他是這個領域的有名研究者，著作等身，論文多得不得了，很受人尊敬。他結婚了，也有小孩，這點很令我驚奇，不能想像與這種怪人如何廝守一輩子。

我們實驗室的地下層是電腦工作站，裡面也有一位程式設計師足以和二樓的怪人媲美，他常把自己反鎖在房間寫程式，怕別人打擾他，中斷他的思緒，他只吃能從門縫下塞得進來的食物，所以多半是吃披薩或墨西哥餅這類扁平型的食物。他從不參加實驗室的活動，走路永遠是看地或看天花板，不理人的。因爲他是電腦的天才，寫程式的高手，大家都容忍他的怪癖。

在這個實驗室大約有三、四十人工作，細想起來，大約有一半是有各式各樣怪癖的人。以前只覺得佛洛伊德說天下沒有完全正常的人這句話很對（佛洛伊德說每個正常人都有一點不正常的地方，每個不正常的人也有正常之處），看了《人人有怪癖》這本書之後才深深體會到，所謂正常與不正常其實不是一個絕對的向度，而是一個連續的向度，兩者重疊的地方很多，很多人是屬於介於正常和不正常的灰色地帶。像上面所說的同事，其實就是在這灰色地帶掙扎的人。他們的情況沒有嚴重到符合精神病標籤的地步，但也不是正常（每個人都認爲他們怪，他們自己也知道他們的行爲怪，但是他們沒有辦法不「怪」下去），他們是在正常人的陰影之下，病情未嚴重到住院的地步，是尙未「聚影成形」的初期精神病者或輕微型精神病患。

這種人在我們社會上其實很多，只是未被大家所注意罷了。他們是躲在影子後面的人，所以這本書的英文名字叫做*Shadow Syndrome*。這是爲什麼這本書用灰色作爲封面，它意指在灰色地帶掙扎的人。這些人包括罹患輕狂躁症（hypomanic）、憂鬱症、注意力缺失症（attention deficit disorder, ADD）、注意力過剩症（attention surplus disorder）、高功能自閉症（high-functioning autism）、強迫症（obsessive-compulsive disorder, OCD）、上癮、間歇性狂怒症（intermittent rage disorder）等等我們在日常生活中隨處可見的人，因爲他們的病情是輕微的，所以他們可以工作，結婚生子，養家活口，但是不那麼正常。不過這本書最重要的一點並不是指出他們不正常，而是告訴我們，這些不正常的外顯行爲其實是有生理上的原因、而且是有藥物可以減輕行爲的症狀的。我想這是這本書迫切需要翻譯出來給大家看，改變大家觀念的地方。

假如我們意識到精神官能症有生理上的原因，是個病，就不應該爲它覺得羞愧，或覺得有罪惡感。應該大大方方的求醫、服藥。我們不曾看到得了流行性感冒的人偷偷摸摸的去醫院掛號，生怕別人知道，爲什麼得精神官能症的人就要遮遮掩掩，戴墨鏡，用假名去醫院求診呢？爲什麼老闆聽說他去看精神科就要把他開除呢？爲什麼我們不敢讓上司知道我們在服抗憂鬱症的藥呢？這本書挑戰許多過去對精神病的錯誤觀念，並且舉出許多科學上的證據做爲佐證。

目前科技的發達已經讓我們可以看到我們大腦在說話、在思考、在回憶時的工作情形，這種功能性腦造影的技術讓我們以史無前例的方式了解自己，不但了解我們的生理，也同時了解我們的心理。功能性核磁共振的造影讓我們看到強迫症的病患尾狀核（caudate nucleus）與一般人不一樣，尾狀核在思想的過程中就像汽車的自動排檔一樣，自動排檔出了問題，檔就換不上去，就一直在原地兜圈子，他無法過濾掉來自大腦內部告訴他要洗手，要檢查爐火關了沒有，要檢查汽車有沒有壓死人的衝動，所以他就一而再、再而三的重複做這個動作。相對的，注意力缺失者不能過濾掉外來的刺激，所以他也是被圍困著，因爲生理原因而不得不過度反應。自閉症中所謂「害羞的大猩猩」（這個名字取自黛安·佛西〔Diane Fossy〕觀察大猩猩的故事，這些病患有他們自己的天地，遠離其他的人類，你無法與他們有直接的接觸）也是有生理上的問題。他們的小腦不正常，他們從來跟不上音樂的節拍，跟不上舞伴的舞步，他們一閉上眼睛，平衡就有問題。

這本書指出這些行爲異常上的生理因素，並且告訴我們不應該鼓勵病患搜尋他童年時的創傷，不應該浪費時間回憶過去是否遭到虐待，是否受到性侵害，應該用認知治療法針對行爲去克服這偏差，並且舉出核磁共振的實驗結果來說明這種治療法是有效的。行爲的改變會改變腦部位的活化。這一點對許多生活在灰色地帶的人應該是一個很大的鼓勵。事實上，從動物行爲的研究我們知道，每一隻動物早上出去覓食都不一定晚上可以安全返航，自然界中充滿危險，爾虞我詐，到處都是掠食者等著你做他的晚餐，使他的生命可以延續下去。生命無時無刻不是挑戰，只有打贏生活挑戰的動物才有資格繼續活下去，才能夠第二天早上繼續出門覓食。

假如這是自然的定律，爲什麼人類應該認爲萬事都要順著我們的意，稍有不如意便要怨天尤人呢？爲什麼早上上班停車位被占了就要悶悶不樂，做事稍受挫折便呼天搶地，認爲世界對我不公、世人對我不起呢？自怨自艾是憂鬱症的主要原因，也是人類獨有的認知行爲，我們不曾見哪隻狗坐在那裡哀聲嘆氣，抱怨好景不長，昔日繁華皆成過眼煙雲，那麼，爲什麼人類認爲一生就應該平平順順、無憂無慮呢？

事實上，一個健康、正確的人生觀是非常重要的，我們應該及早告訴小孩子：「生命就是奮鬥，挫折是本份，不是意外。」當一天的工作結束，我們平安的回到溫暖的家中，等待著第二天日出，繼續著外出工作時，我們應該很慶幸自己打贏了今天的生活之仗，戰勝了大自然的挑戰。人類文明的進步是要減輕大自然給我們的負擔，使我們的生活更容易些，但是文明的進步不應該改變我們對生命的態度。這是爲什麼所有的宗教都教人對生命要存著感恩之心。的確，平安的躺在溫暖的被窩中，應該有著感恩之心，感謝所有的人和事成全了我們這一天。

年輕人有了「世界不欠我」的觀念，或許不會動不動就鬧自殺；老年人有了這個觀念，或許憂鬱症、空巢症候群不會這麼厲害。我認爲這本書最重要的地方在於告訴我們許多我們認爲是壞小孩、壞學生、壞丈夫、壞母親的人，其實是罹患一些被我們忽視、甚至歧視的症病，而這些病如果及早發現，加以診治，通常有相當好的治療結果。

國內這方面的資訊非常的不足，所以有必要將這方面的知識介紹給老師、家長及社會大眾。在書中，作者有三次振臂高呼「知識就是力量」，我深切體會到「無知」對一個社會的傷害（台灣省道兩旁六十年樹齡的芒果樹已經砍伐殆盡，「綠色隧道」已成爲歷史名詞，這就是「無知」的後果）。「偏見」、「抵制與自己不一樣的人」似乎是人類的本性，我們在任何一個社會中都可以看得見，像這種偏見只有靠了解來消除它，當人們發現自己與各種輕微的失常症者之間也不過是五十步笑百步時，那種抵制之心會轉化成同理心。所以我覺得知識的傳播是心靈改造的基石，只有靠了解才能消除偏見與歧視。

但是關於腦這一方面的書很少，誠如本書作者所說的，走進書店，各式各樣心臟保健的書映入眼簾，但是人們對自己的大腦了解卻非常少。對大腦病變所引發的外顯行爲的失功能，如失語症（aphasias）、失憶症（dissociative amnesia）、失讀症（alexia without agraphia）、失辨認症（agnosia）更是一無所知。最近幾年來，因爲核磁共振造影技術的發明，使我們不必等到死後解剖，在活人身上便能即時即刻的看到大腦的結構與功能。這項技術的突破，使我們了解到以前不知其病因的自閉症、狂怒症（explosive-personality disorder）、焦慮症、精神分裂症（schizophrenia）、兩極症（bipolarity）、憂鬱症、強迫症等等精神官能失常，其實都有大腦生物體上的原因，也有一些很有效的藥可以減輕症狀。

我很仔細的將這本書校了二次，希望那些飽受身心煎熬陷在不可自拔的痛苦中的憂鬱症、焦慮症患者，能夠鼓起勇氣尋求援助。生病並不是羞恥之事，也無須覺得罪惡感。做爲一個享用地球上大部分資源的人類的一份子，你有義務使自己快樂起來，也有責任給妻兒一個無陰霾的家庭生活。能活著是一件值得感恩的事，請善用這個 privilege。（原載於《人人有怪癖》，審訂者的話）

14 記憶是可以創造的

一九九四年我剛回台教書時，目睹台灣全島爲《前世今生》（*Many Lives, Many Masters*）瘋狂，報章雜誌、電視媒體都在鼓吹這種說法，少男少女人手一本，紛紛猜測自己前世是否是埃及公主或楊貴妃。我很震驚，也不敢置信。震驚的是二十世紀、科學昌明的今天，有人會相信這種毫無根據的、不能被驗證的說法；不可置信的是學術界竟無一人出來講話，難道衆人皆醉我獨醒？

我們一直說要讓科學生根，但是觀看台灣目前的教育方法，這個期望恐怕要落空。我們的學生分不清possible和probable的差別，我們的教育也沒有讓他養成追根究柢的習慣，許多觀念都是只知道一個皮毛，一深究下去就漏底了。因爲沒有深究的習

書名：記憶vs.創憶
作者：Loftus & Ketcham
譯者：洪蘭
出版：遠流

慣，所以很容易人云亦云，變成盲從。我認為《前世今生》這一股歪風的形成，很大一部分是青年學子的盲從。他們盲從是因為「They don't know any better.」所以，當羅芙特斯（Elizabeth Loftus）這本從科學的觀點來看被壓抑的記憶、來看催眠的書《記憶vs.創憶》一出版時，我就認為應該譯成中文，介紹到台灣來，讓大家對「記憶」有正確的概念。當我們有知識時，就會有判斷力，有判斷力就不會盲從了。

在心理學上，對我們一般人記不得二歲以前的事情，有個專用名詞叫童年失憶症（childhood amnesia），即一般人對於自己童年生活的切實記憶（不是聽父母、家人敘說而來，而是自己親身感受的記憶），大約都始於四、五歲，上幼稚園的時候，甚至有人更晚，但是絕少有人記得一歲左右的事情。這種童年失憶症的產生是有生理上的原因的。我們剛出生時，大腦許多部位尚未發展完成，尤其是掌管我們記憶的海馬迴（hippocampus）、杏仁核（amygdala）等所謂的邊緣系統（limbic system）。神經的髓鞘（medullary sheath）也未發展完成，髓鞘的作用就好像電線外包的黑色絕緣體一樣，它可以使神經傳導的速度加快、不漏電。童年失憶症產生的另一個原因是，二歲以前我們對語言的掌握尚未熟練，而語言碼（linguistic code）是記憶入碼（encoding）的一個最有利的碼。

基於上述原因，我們對於童年的事件——尤其是一歲以前的事件——沒有記憶；對於一個原來就不存在的東西，即使是用催眠，放低原來的防禦機制也不可能出現，怎麼可能回溯到剛離開母親子宮，出生的一剎那？更不必說回到前世了。

對於催眠的可靠性，很多人都誤解了佛洛伊德，其實佛洛伊德很快就發現催眠不可靠，而改用「自由聯想」（free association），即聽到一個字後，立即說出第一個浮現腦海的字來。佛洛伊德後來都是用自由聯想的方式探索病患的內在心靈世界，而不再用催眠的方法。對於催眠的不可靠性，現在已有相當多的證據。例如，曾經有某目擊證人在經過催眠後指認出某人為兇手（指認的過程都相當戲劇化），被催眠的人的「眼光」隨著催眠師的指示，從腳的部位慢慢升高，一點一點地上升，最後，全場屏住呼吸，聽到被催眠者驚呼「我看到他了，他就是——」全場震驚。被指認者百口莫辯，幸好該嫌疑犯有一本蓋了出入境章的護照，證明案發當時人不在國內，救了他一條小命！

另一個證據是，請被催眠者盡量回憶他六歲時的一切，並請他塗鴉，然後與他真正六歲時所畫的圖作比較，並求證他被催眠時所說的兒時情節。結果發現，被催眠時所說的很多情節都不能被證實，他所畫的圖與他六歲時所畫的圖也非常不一樣，不需專家即可看出哪一張是大人模仿孩子的筆跡所畫的。

對於催眠，我們的了解並不深，對於不了解的東西，我們應該抱著存疑的態度，即科學上所謂的「虛無假設」（null hypothesis）；我先假設它是沒有的，直到我們能找到證據推翻這個虛無假設，或是說，我先假設這兩樣東西是沒有不同的，直到被證明有顯著的差異（significant difference）爲止。這是科學的態度，這個態度把人類送上月球，開始了無數的科技文明，所以我們知道這個態度是可行的。基本上，這種不但求證、還要求反證的科學態度，我們沒有教給學生。這是讓人深以爲憂的，也是我希望讀者在看完這本書後，能夠學到的一個重要的東西。

我們一般人對自己的記憶都相當有把握，所謂眼見爲眞，我親眼所見，怎麼還可能錯？但是，人的記憶其實非常的有可塑性，常受後來發生的事件、語言提示（leading questions）的影響。羅芙特斯的實驗顯示，受試者在看完同一段影片後，對於影片中兩車相撞速度的估計，會因爲問句「剛才兩車對撞（crash）／碰撞（hit）／擦撞（scratch）時速度是多少？」的用詞，而有不同的判斷，並且「對撞」組的受試者會很有自信的說，他看到地面上有碎玻璃，但是影片中其實是沒有碎玻璃的。「對撞」組因爲被誤導去相信兩車快速相撞，而相撞現場常有擋風玻璃碎片，所以他就很自信的說他有看到玻璃碎片。在這本書中，羅芙特斯很詳細的討論扭曲的記憶。

除了學科學的學生需要看，這本書法律系的同學及法界的人士更是該看。根據《美聯社》的報導，俄亥俄州一位因證人證詞被送進監牢關了十二年的男士，終於因爲ＤＮＡ的檢定不符而被釋放出來。法官在採取自由心證之前，應該對人的記憶本質有所了解。這位男士就是在證人信誓旦旦，「化成灰也認得」的證詞下，被送進大牢的。三十年前我作了法律系的逃兵，這本書若對法界有些貢獻的話，也不枉當年林紀東大法官常常找我去他家吃飯的苦心！

回國後，對於現今社會的亂象，我常在想，做爲一個讀書人，我能做些什麼事？我國學生基本常識低落到令人咋舌的地步，我想這一點，教過書的老師都有同感。如何盡快的補足他們的背景知識，是我現在努力的目標。我盡量挑選與我們目前社會狀況有關的主題書，介紹進台灣來，希望這種與實際生活有關的知識，能夠引起他們讀書的興趣，進而從知識中尋求生活的樂趣，不再借助於聲色犬馬的追逐。

民國五十四年，我那一屆大專聯考的作文題目是「反攻前夕告大陸同胞書」，當時看到考題的一女中同學都很高興，因爲我們年年在總統府前面聆聽總統文告，內容大致會背，但是後來對比之下，又很擔憂，因爲每個人的作文中都有「在此國家民族危急存亡之秋」這句話。當時我們只是依樣畫葫蘆，每個人寫了國家民族危急存亡這些話，心中其實並無任何危急存亡的感覺。三十年後，我在自己的國家教書了，這才眞正感到我們現在是在「國家民族危急存亡之秋」，再不改革教育，再不淨化人心，我們就連發文告的地方都沒有了。

是爲序！（原載於《記憶vs.創憶》，譯序）

15 全面實現智慧的潛能

智慧雖是看不見、摸不著的東西，但是我們的一生卻掌握在它的手上。聰明才智高的人治人，聰明才智低的人治於人，罵人「笨」似乎是最容易脫口而出的一句話。鞋帶沒繫好，父母罵你怎麼這麼笨；作業忘記帶，老師罵你怎麼這麼笨；煮菜煮太鹹，丈夫罵你怎麼這麼笨；生不出兒子來，公婆罵你怎麼這麼笨。所有的事只要做不好，我們都認爲對方是因爲「笨」的緣故。這眞的是「智慧」的定義嗎？什麼是智慧的本質呢？爲什麼同學會中以前天天被罰站的人現在變成十大傑出青年或創業楷模？爲什麼以前是模範生的你現在在「等因奉此」中消磨青春？這中間的差別在哪裡？成功的要件是什麼？智慧是其中的要件嗎？

書名：活用智慧

作者： Robert J. Sternberg

譯者：洪蘭

出版：遠流

《活用智慧》這本書的作者羅伯・史登堡教授曾經吃過智力測驗的大虧，小學一年級時被編入智障班，一直到四年級才遇到一位好老師，發現這個孩子根本不是智障，只是不擅於考試而已。因此史登堡才得以脫離苦海，回到原來的班上就讀，後來終於成爲耶魯大學心理系的系主任，現是耶魯大學的ＩＢＭ講座教授，也是美國智慧理論闡述最多、最有創見的一位教授。

史登堡博士一直主張智慧有幾個層面，很多時候你可以經由練習增進學業表現，增長實用智慧。因此，在本書中，大部分章節後面附有練習題，讓你透過練習增進你的表現。他是一位十足的後天論者（nurturist），深信「勤能補拙」、「有志者事竟成」，只要有足夠的動機、毅力，天下沒有什麼不可爲之事。我雖然對他的看法不完全同意，但我認爲他的練習題的確可以增進學生思考的空間，同時他所列出的思考策略和方法（選擇性登錄、選擇性比較、選擇性組合）的確可以幫助我們學生「學習」思考。所以我把它翻譯出來，希望對我們的學生有幫助。這是我譯這本書的第一個目的。

第二個目的，當然是希望藉由這本書改變老師、父母和家長對智慧的觀念。我們雖然一方面口口聲聲說「天生我材必有用」，另一方面卻相當無情的打壓學生的「才」，老師做不到「因材施教」，父母也看不出自己孩子的優點，我們都太相信智力測驗的成績，沒有考慮測驗背後的本質與那些未被測到的才能。

關於這一點，史登堡博士一九八一年的研究特別具有啓發性，他曾經請許多人列出他們認爲「什麼是極端聰明者的行爲」以及「什麼是極端愚蠢者的行爲」。結果人們列出來的聰明人特徵是：能夠立刻掌握情況，能夠直達問題的本源並查詢眞相（即不信任第二手的資料），能夠直接觸及問題的核心，與學校成績、考試考第一幾乎沒有關係。知識固然很重要（背景知識是決定我們認知架構的重要因素，而認知架構決定我們資訊的吸取程度），不過只要有學習的能力（learning ability），知識是可以獲得的（acquired）；但是如果沒有學習的能力，那麼什麼都不必談了。

這個學習的能力就包括智慧三元論所講的那些部件，在本書的第二章有很清楚的介紹。雖然標題是「智慧三元論」，但是裡面的內容和我們在教學上眞是非常有關係。我們的教學常常忽略應用性，學生在學的時候不知道何時才會用到這些東西；一旦學生感覺不到它的重要性，學習的動機自然會降低很多。最明顯的例子就是醫科的學生，四年的基礎醫學訓練，塞給他們很多的知識（我認爲根本就是太多了），他們囫圇呑棗的都背了下來，但事實上是一知半解，等到大五到醫院實習時，才開始感到緊張、惶恐，感到「書到用時方恨少」：臨床上的個案，與書中描繪的有點像又不全像，爲什麼這個病人的徵狀是每一種病都沾一點邊呢？究竟應該是什麼病呢？

我覺得對醫科的學生來說，實習才是眞正學習的開始，這個時候住院醫師（residence）所教的，這些準醫師會一字不漏的、全神貫注的全部吸收。難怪有一個學生對我說：「進哪一所醫學院不重要，重要的是在實習時，有沒有一個好的駐院醫生帶你、肯教你。」當你感到書到用時方恨少時，自然就會像海綿一樣努力吸收了。對於教學，我們應該如何提起學生的興趣，使他們主動探索知識呢？本書在第五章「知識獲得的部件」有精闢的見解。

另一點我覺得非常好的是：史登堡博士教學生如何從情境線索中去猜生字的意思，而不是立刻查字典。從心理學對記憶的研究，我們知道愈是動過腦筋思索的東西記得愈久，一個生字出現了，若是僅是翻字典查出它的意思，這個字義很快就會忘記。我們都有這樣的經驗：一個生字查了三、五遍還是生字，下次見到，雖然面熟一些，仍然不知道它的意義，還是得查。史登堡博士教學生先不要查字典，先從上下文、前後文的脈絡去猜，他提出好幾個猜字的策略並附上習題，請同學練習。這一章節我覺得對我們的學生非常有用。一直停下來查生字會打斷你的思緒，使你有挫折感，而且每一次停下查生字，查完了必然要從這一句的開頭重新讀起才可能貫通文句，這就難怪學生會抱怨「讀了一晚才讀一頁，老師指定的作業太多，不吃不睡都讀不完」。這一部分很有意思，同學們可以試一下，看看對你是否有效。我不知道這本書的定價會是多少，但是單憑學會猜字義讀英文這個方法，就應該值回票價，因爲我眞的覺得我們學生讀英文書的速度太慢了。

這是一本實用的書，在這個一切講求邊際效益的功利社會，它應該是很有用的。我只希望大家在應用史登堡博士的方法增進智力之後，能夠更進一步的發揮自己的潛能，達到「凡事操之在我，不受制於人」這種自我主控的人生境界。本書最後一句話講得很好：「不要忘記，在這個世界上，眞正有關係的不是我們的智慧程度，而是運用智慧所創造出來的成就。了解與增進智慧的終極目的，應該是在生活上全面實現我們智慧的潛能。」（原載於《活用智慧》，譯序）

第2篇

大腦科學

1 大腦怎麼演化來的？

《腦，在演化中》這本書，是遠流《生命科學館》「科學美國人圖書館」(Scientific American Library) 序列的第一本書，後面陸續會有記憶、語言等方面的書出版。「科學美國人圖書館」這個序列的書非常有名，因爲作者皆爲各學術領域的大師，它的對象卻是一般的民衆，所以文字都是深入淺出，盡量讓所有人都看得懂，很適合《生命科學館》提昇科普的開館目的。只有完全懂的人才可能把深奧的東西用淺顯的文字表達出來，所以這個序列嚴格挑選它的執筆者，這也是爲什麼「科學美國人圖書館」在科普界能夠享有歷久彌堅的盛譽，只要是它出版的都保證是好書。

本書作者歐門（John Morgan Allman）博士爲加州理工學院

書名：腦，在演化中
作者：John Morgan Allman
譯者：曹純
出版：遠流

（California Institute of Technology）的講座教授，是神經學方面的權威。我對這本書有很高的期望，希望藉由「科學美國人圖書館」出版的好書將腦的正確知識介紹到台灣來，破除一些大家對腦的迷思，提昇台灣的科學知識。

腦是人成爲萬物之靈最主要的原因，我在醫學院上課時，常問學生語言是人類和黑猩猩最大的差別嗎？如果教會黑猩猩人類的語言，牠會等於人類嗎？學生通常會覺得不是，可是說不出來哪裡不對。

其實人和其他動物最大的差別就在腦，尤其是大腦皮質的前額葉，我們的額葉占大腦的二九%，黑猩猩的只占牠的一七%，如果說貓與狗誰聰明（我常聽到寵物的主人在爭辯），從科學上來說，狗比貓聰明，狗的額葉占七%，而貓只有三・五%。腦的確和智慧有關，但是關係並不是在腦的大小上。現在一般人的腦都差不多大，大約在一、四〇〇～一、五〇〇公克，人腦的大小與他的智慧相關只有〇・三，也就是說只有九%的ＩＱ可以用腦大小解釋，並沒有一般人想像的那麼重要。

腦的大小與人的身高體重有關，因爲大腦只占人體二%的重量，卻使用到身體二〇%的能源，因此小人是不能頂個大頭的，因爲成本太高，不堪負荷。然而高的人並沒有比矮的人更聰明，雖然高的人腦比較大。上面這個謬思，大家只要稍微動腦筋想一想就知道是不正確的。女人的頭也比男人小一點（先生的帽子給太太戴，通常戴到鼻子，而屠格涅夫〔Ivan Turgenev〕

的帽子給男生戴會戴到脖子，因爲他的腦有二、〇五二公克，是目前已知世界最大的腦），因爲女生一般來說，身高不及男生，但是我們也知道女生絕對沒有比男生笨。

我有時覺得台灣的父母太過迷信聰明才智，以爲只有聰明的人才會成功，所以願意花錢讓江湖術士算小嬰兒的指紋，看看將來聰不聰明。其實指紋與腦紋是毫不相干的，指紋絕對不可能預測大腦的溝紋，唯一相似處在於兩者都是獨一無二，沒有兩個人的指紋是相似的，也沒有兩個人的腦紋是相似的，包括同卵雙胞胎在內。我們知道基因決定大腦的結構，但是外在的環境、後天的經驗決定神經之間的連接，好像一個大樓的結構是設計藍圖（基因）決定的，但是裡面的裝潢卻是依個人品味（經驗）而有所不同，所以兩個一起長大的雙胞胎記憶並不會一樣，就是這個道理。父母如果把花在算指紋的錢用來買書，孩子的成就恐怕還會大些。

其實腦大或聰明都不是成功的必要條件，鍥而不捨、堅忍不拔才是。成功的人不一定是最聰明的，但是他們一定都是最有毅力、不畏挫折的。這點父母都忽略了，沒有把心思放在培養孩子健全的人格上，而花在補品、補習上，枉費心力。

大腦究竟是怎麼演化來的？它與我們聰明智慧的關係是什麼？這本書都講得很清楚，對於坊間一些腦力開發、潛能開發、右腦補習班等似是而非的賺錢「企業」，我覺得最好的方法就是將正確的知識介紹給國人，讓父母在掏荷包時，有資料可以幫助他判斷是非。台灣正確的大腦知識非常的匱乏，不肖商人利用父母望子成龍的心理，用「不要輸在起跑點上」嚇父母，讓他們把錢掏出來「啓發右腦」或「補習創造力」。其實只要對大腦有一點了解，別人就騙不了的。

人的大腦兩個半球中間有厚厚的纖維束相連，叫做胼胝體（corpus callosum），訊息從右到左或是從左到右來往得非常密切，交換得非常快。一個正常人不可能只激發右腦而不讓左腦知道，除非把中間的纖維束剪斷。那麼爲什麼我們的父母會相信商人的花言巧語，付巨款去「啓動孩子的右腦」呢？更可笑的是有書叫父母要讓小孩每天用左手寫幾個字以啓發右腦，這不但在學理上完全沒有根據，還會造成孩子的挫折感，因爲強迫孩子用左手寫字就和強迫原來是左手的孩子改用右手寫字一樣——用不擅長的那隻手做事是很痛苦的。

所以這本書的出版可以說是刻不容緩，我們積極要讓父母知識腦只是智力發展的一個材料，如何雕塑它使它成材，後天的動機、毅力更爲重要。當然工欲善其事必先利其器，沒有一個正常的大腦很難開發出卓越的能力，但是只要是生物都與大自然的成熟（maturation）有關，成熟使孩子的行爲水到渠成，得來毫不費工夫。讓孩子有一個快樂的家庭、一個正常的成長空間，便是父母給予孩子最好的禮物了。我希望這本書能帶領所有對腦有興趣的人進入認知科學這個領域，只有了解自己的大腦是如何運作的，你才可能充分利用它打造你的未來。（原載於《腦，在演化中》，導讀）

2 大腦與情緒

科學的發達，文明的進步，使人的生活愈來愈富裕，壽命愈來愈長。但是這些科技卻沒有辦法使人變得比較快樂，面對大幅升高的憂鬱症、焦慮症人數及急劇下降的發病年齡，身爲研究者的人不得不對人的情緒「另眼相看」。大腦中究竟是什麼地方操弄著我們的情緒，使我們忽喜忽怒？爲什麼有人可以唱出「風蕭蕭兮易水寒，壯士一去兮，不復還」這麼悲壯的視死如歸的歌，又有人可以作出喪天害理出賣國家民族的事？理性和感性究竟有什麼生理上的不同？「衝冠一怒爲紅顏」是怎麼發生的？爲什麼有人會「看山不是山，看水不是水」？有人又會「看山是山，看水是水」？

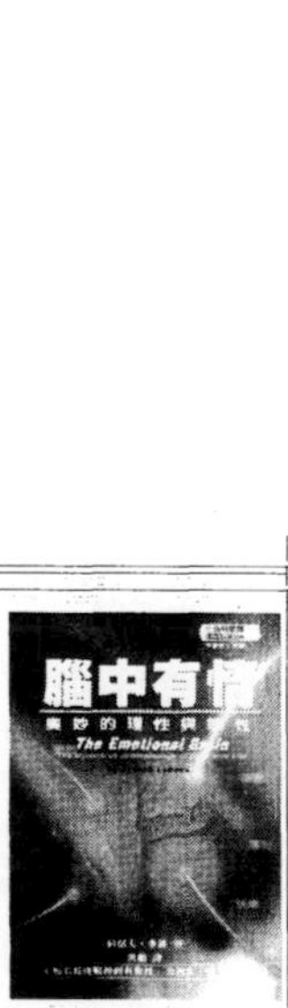

書名：腦中有情
作者：Joseph LeDoux
譯者：洪蘭
出版：遠流

這些困擾著哲學家幾百年的問題，現在終於因爲認知神經科學的進步而慢慢現出曙光；非侵入性的腦造影技術讓我們逐漸了解操弄著我們心智情緒的大腦部位，而動物實驗則讓我們看到那個部位被破壞後，所產生的情緒障礙的行爲缺失，從而推論出人大腦工作的情形。《腦中有情》這本書讓我們了解什麼叫剝繭抽絲，科學家如何一步一步地達到研究的目的。台灣的學生常不耐煩科學發現的過程，總是要求老師只教「結果就好」，只要知道結果就好，中間過程不必管它，殊不知這是很不對的態度，因爲不知道過程，就無法改進結果。好像別人寫好的電腦軟體，我們可以用，卻很難改進，因爲不知道它的參數是什麼。

這本書詳細說明腦與心智的關係，從動物實驗讓我們知道杏仁核在情緒上的重要性，神經的染色追踪讓我們看到大腦各個部位的溝通路徑。杏仁核往皮質去的路又寬又大，皮質通往杏仁核的又窄又小，難怪我們一生起氣來就失去理智，原來情緒爆發時，它迅速淹沒了理智的聲音，我們就「意氣用事」了。意氣用事的後果當然就是後悔莫及，如果對後悔莫及的事耿耿於懷就會產生情緒上的失常，沒有及早排解的話，就變成精神科門診的病患了。在精神科門診爆滿的現在，這本書有它時代的意義。

在書中，作者李竇（Joseph LeDoux）將心理與生理的交互作用交代得很清楚，「關鍵性實驗」（critical experiment，即一個支持或推翻假說的實驗）尤其做得漂亮，這是我爲什麼急著把這本書翻譯出來的原因，我一直感到台灣近年來因爲走上商業社會的緣故，事事都希望立竿見影，人人找捷徑，家家作股票，早期農業社會腳踏實地、苦幹實幹的精神不見了，但是在做學問上，其實是無法一蹴可幾的，必須一點一滴的累積知識，一步一腳印的往上爬。我現在憂心的是台灣有「科技」，沒有「科學」，因為學生不知道科技背後的原理和假說，更嚴重的是，他不知道這些基礎知識的重要性，所以根本沒有學習的意願。

多少次課堂上，當我說某個理論已被另一個新的取代時，學生會停下筆來，憤怒的把前面的筆記劃掉，大惑不解的望著我，懷疑為什麼要教一段已經被證實為不對的理論。他們完全不了解在科學上沒有絕對的對錯，一個理論被推翻了並不代表它從此就銷聲匿跡，假如有新的儀器、新的方法出現，它還是有可能借屍還魂，以另一個姿態出現。最主要的是我想教他們科學家思考的方式，他如何根據他的想法設計關鍵性實驗以驗證他的想法，因為這才是科學的精神——假說的驗證。

當我們的學生不知道如何設計關鍵性實驗時，他就無法判斷一個現象是眞還是僞，只好人云亦云變成盲從，社會就會流於迷信。我對於台灣會有人相信「隔空抓藥」這件事深為不解，尤其是有知識份子會相信它更令我覺得台灣的科學教育沒有生根。我們的國民仍是非常缺乏科學精神，科學普及化推了二十年仍在「革命尚未成功，同志仍需努力」的階段。

我希望這本書的出現能帶給大眾一些正確的大腦知識，了解自己大腦運作的情形。當自己有了知識，知識就是力量，就不容易被別人騙，不會再相信指紋可以預測腦紋（這兩樣東西是八竿子打不到一起的，更何況腦紋的深淺不能預測智慧）；更不會相信左、右腦可以分開訓練，你可以先發展右腦再發展左腦等等完全錯誤的說法。

再過幾天就要過年了，回顧人類這一百年來文明的進步眞是驚人，這一切可以說完全歸功於我們演化出一個很大的大腦皮質，有了這個結構的支持，我們才得出創造發明的心智，腦與心智將是二十一世紀的顯學，希望這本書會是塊敲門磚。（原載於《腦中有情》，譯序）

3 大腦如何工作

我的父親有白內障，但是就像所有老人家一樣，他猶疑著要不要開刀，每次我們遊說他時，他就以中國傳統的「一動不如一靜」抵擋。直到有一天我母親打電話來，語氣非常憂慮，因爲父親看到幻影了，尤其是晚上睡覺的時候，他看到天花板上、牆上有許多奇怪的東西，甚至看到有人在走動，令我母親驚嚇不已。我一聽就曉得是父親的大腦在作祟，因爲白內障阻擋了訊息的輸入，而我們的大腦是無時無刻不在解釋外界情況的，當訊息不夠時，大腦就從過去儲存的經驗中找出最能解釋目前訊息的理由來替代，我們的視覺系統會自動把中間缺的空白填滿，因此，父親就看到許多不存在的東西了。果然，父親的幻覺在動完手術後便

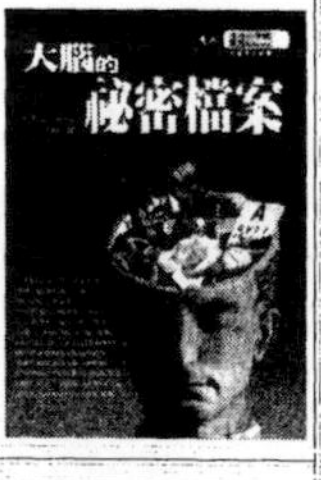

書名：大腦的秘密檔案
作者：Rita Carter
譯者：洪蘭
出版：遠流

消失了。

在等待動手術期間，我曾經去書店尋找相關書籍，希望能讓父親對他自己的情形有更進一步的了解，但是並沒有找到任何一本中文書可以讓我父親解除他心中的迷惑。幸好我父親懂英文，因此，我直接將這本《大腦的秘密檔案》的原文書給他看，特別是第五章的部分。這次經驗讓我感覺到台灣這方面的訊息還不夠，大腦科學是進步最快的科學，但是坊間這方面正確的知識還是非常少。我們常說「知識就是力量」，但是很少人了解「知識就是力量」的意義在哪裡。當一個人不知道自己爲什麼會這樣時，他心中充滿恐懼，他會懷疑自己是不是心智失常，爲什麼他看到的都和別人的不一樣，他在各方面測試自己的心智能力，每天惴惴不安，擔心自己的心智是否比昨天更退化了。而一旦知道這是大腦在作用，所有的疑慮即一掃而空，那種如釋重負，才是眞正知識是力量的表現。

只有知道原因才能眞正免除恐懼擔心，所以我決定盡快的把這本書翻譯出來，因爲裡面所談到左、右手，自閉症，過動兒，妥瑞氏症（Tourette's syndrome）等等大腦裡的情形是很多父母迫切想要知道的。我將桌子搬到家中的天窗下面，第一線曙光出現時便爬起來工作，一直做到天黑看不見爲止。這本書也是少有的，不是編輯來催稿而是譯者打電話催編輯可不可以快一點。感謝遠流編輯部的配合，這本書終於在交稿後五個月要出版了。（讀者或許不知，除了像《哈利波特》那種暢銷書外，一般的書是要排班的，每個編輯手邊稿件堆積如山，都有做不完的事。）

這本書的作者卡特（Rita Carter）是知名的科技記者，曾經做過英國晚間新聞「泰晤士河新聞」（Thames News）的主播五年，因此她掌握訊息的能力很強，遇到問題可以直搗黃龍，馬上抓到問題核心，我喜歡這本書的地方也在她陳述事情乾淨俐落，不拖泥帶水（很多人都有這種痛苦經驗，拿一個問題問指導教授，他從盤古開天闢地講起，三個小時以後還未繞入主題），缺點是她沒有自己動手做過實驗，因此會相信「專家」（很多人都知道，最不可信的就是專家），補救的方法是用譯注，將目前還沒有定論、尚有爭議的地方指出來。不過瑕不掩瑜，我認爲這本書是目前講大腦功能最清楚的一本科普書，也是我翻譯多年來最喜歡的一本，常迫不亟待去工作，覺得是心靈的饗宴，覺得於我心有戚戚焉。

例如她對左右手的看法我就非常贊同。左右手的使用有大腦的原因在裡面，一味的改正是沒有道理的，等於強迫孩子用他不是最強的腦去處理事情，實在是非常的不智。我們當然應該讓孩子用他最擅長的腦去學習，怎麼會因爲文化因素而使孩子痛苦不堪呢？很不可思議的是，我最近演講還聽到有教授告訴他的學生一定要把左手的孩子改過來，因爲「跟別人不一樣」。我不知道他有沒有聽過「生物多樣性」（biodiversity）這個詞，多樣性增加生存機率，更何況教育部不是大力在提倡多元智慧嗎？如果每一個人都一模一樣，就不必多元智慧了。其實「左」有什麼不好呢？雖然中、外都用左代表邪惡，如「旁門左道」，但這只是文學上的對比法，並沒有任何科學上的證據。這使我想起造成洛陽紙貴的《三都賦》作者左思，假如他生在現代，就憑著他的名字「左思」這兩個字，就足以使他直接坐直昇機去綠島改造了。傳統的力量眞是很大，惟有新的知識才能從心裡改變觀念，打破傳統。

另一個台灣也有很大迷思的是男女性別差異。男女天生就有差異，這個差異來自荷爾蒙對大腦功能的設定，使得男女各有所長，所以追求男女平等不是要女生做男生的事，而是確保平等受教權與工作權，讓女生在她最擅長的項目上發揮而享有同等的升遷機會。在能力上並沒有哪一種性別比較優越，只有做哪一種事比較擅長，因爲男女的認知方式不同。這裡特別要強調的是所謂男生的空間能力比較好，並不是說所有的男生空間能力都比較好，而是說如果你是男生，你空間能力比較好的機率會增加。我常覺我們的統計課程沒有教好，常使一般老百姓誤解機率的意思。

過動兒和注意力缺失目前已確知是大腦的關係，不是父母管教不當，放縱驕寵或孩子沒有禮貌的關係。知道這一點可以使很多夫妻停止吵架，責怪對方，而集中心力補救生物機制上的缺陷。對過動兒目前有藥物利他靈（Ritalin）相當有效，但是很多父母不肯接受事實或擔心藥物的副作用，不肯給孩子吃。關於這一點，我覺得父母可以參考紐約州政府高等法院的判例，因爲法官判家長一定要給孩子吃藥，否則是虐待兒童罪（child abuse），要坐牢的。憲法賦予兒童受教權，父母沒有權利剝奪他，沒有服藥，孩子無法專心上課，即是剝奪了他的受教權。

另外一點很重要的就是：情緒發展的時間窗口很短，錯過這個時期情緒發展會不正常，密西根兒童醫院的柴加尼醫師是我非常尊敬的學者，他對情緒發展的看法深獲我心，對台灣目前二十四小時托嬰、菲傭保母等現象很讓我憂心。天下沒有什麼使孩子睡覺醒來母親就在身邊更讓他覺得有安全感的了，一個有安全感的孩子才敢去探索外面的世界，才有勇氣征服不可能。如果父母肯聆聽孩子的心聲，他會發現孩子要的不是山珍海味，而是爸爸回家吃晚飯。心情的空虛是許多財富塡不滿的，相反的，心情的滿足也是財富換不來的。

這本書是講大腦如何工作，如何影響我們的行爲，但它何嘗不是一本哲學的書？看到腦中風或病變可能產生這麼多奇奇怪怪的行爲（如「他人的手」〔alien hand〕症狀、佛利戈利妄想症〔Fregoli's delusion〕、凱卜葛拉斯妄想症〔Capgras delusion〕、面孔失辨認症〔prosopagnosia〕等等），會讓我們珍惜現在所有的。我們傳統的教育太過注重目的，忽略了過程。人生固然要有目的（不然會失了方向），但是到達目的地的過程一樣的重要，因爲生命是一天一天過程的累積，不應該爲了天邊的彩霞而忽略腳邊的玫瑰，如何平衡兩者是需要智慧的，而智慧的來源就是知識。希望這一本書可以使人們更了解自己的行爲，從了解中規劃最適合自己的未來。（原載於《大腦的秘密檔案》，譯序）

4 記憶的本質

做爲一個現代人最令人興奮的地方，便是祖先傳下來的謎我們一個一個把它解開了。幾千年來，中國人望月興嘆「碧海青天夜夜心」，現在我們不但上了月球，還打算移民月球，蓋個廣寒宮自己過過癮。從蘇格拉底（Socrates）、柏拉圖（Plato）到孔子、孟子，每一代的思想家都想知道經驗如何影響心智內在的組織？人爲什麼會「近墨者黑，近朱者赤」？爲什麼有人一目十行，卻有人怎麼教都不會？爲什麼人會因愛成癡，又會反目成仇？這許多讓古人窮一生之力探索的問題，現在慢慢展現在我們面前。這都要歸功於分子生物學和認知神經科學的結合，它讓我們看到基因和經驗如何共同塑造出腦的功能結構，這個功能又如何做出上

書名：透視記憶
作者：Squire & Kandel
譯者：洪蘭
出版：遠流

述的種種行為。難怪有人說：「二十世紀科際整合最大貢獻的便是解開人類心智之謎。」一

本書作者之一的肯戴爾（Eric R. Kandel）是二〇〇〇年諾貝爾生醫獎的得主，他以研究海蝸牛記憶的神經機制得到此一殊榮，本書是他一生研究的精華。另一位合著者史奎爾（Larry R. Squire）是美國國家科學院的院士，是認知心理學家中少數得到此殊榮的人，他專門研究失憶症者的行為，所以本書是一個神經生理學家和認知科學家的合著，寫的領域正是分子生物學與認知神經科學結合的第一個產品——記憶。

這本書的出現讓所有對科際整合有疑慮的人疑雲一掃而空，因為，本書清楚的告訴你，對一個行為的徹底了解必須從它的機制著手，認知心理學家提供行為徵狀（即記憶的系統），神經生理學家找出底下的機制（即儲存的機制），兩者通力合作，使我們了解記憶的本質。正如最後一章所描繪出的遠景，這兩個領域的科技整合創造出一個新的領域——認知分子生物學（molecular biology of cognition）。這是未來腦科學研究的希望，也是解開人類最後一塊蠻荒之地（the last frontier）唯一的方法。

記憶不是一個單一的心智組織，它有兩個基本的形式：陳述性記憶和非陳述性記憶，這兩種記憶各有各的神經系統與儲藏方式，而且各有意識和潛意識的效應。所以我們欲了解為什麼會「近朱者赤，近墨者黑」，就必須用「記憶的潛意識在作用」的觀點去理解。小孩子的壞習慣很難戒除，是因為習慣化的非陳述性記憶是直接儲存在掌管習得行為神經元的突觸

上。記憶來自神經元的改變，習慣化的神經元是神經通路的一份子，習慣記憶儲存在做出這個行爲的神經迴路中，一旦迴路形成，要過很久沒有刺激突觸的連結才會縮回。海蝸牛在經過十次刺激後，所形成的連結要過三個月才會再縮回去。這就是爲什麼戒除一個壞習慣要比建立一個好習慣多花十倍的力氣與工夫。了解這一點，父母和師長能不戒愼恐懼嗎？校長能夠上舞廳喝花酒而不怕影響學生的價值觀嗎？

近代生物學在記憶上最大的發現，便是兩個細胞之間的連結是記憶儲存的基本單位。人的腦在胚胎期一分鐘長二十五萬個，一出生時有一兆（10^{12}）那麼多個，再加上每一個神經元有一千個以上的連結，所以總共有一千兆那麼多的神經突觸供我們使喚，我們完全不必擔心腦神經細胞不夠用。

學習其實是去蕪存菁，把不必要的刪除，只留下菁華來使用。了解這一點，父母就不必加班賺錢給孩子買補腦品，因爲現代的小孩大多數有良好的營養。父母應該回家享受天倫之樂，用你的陪伴與關懷加強孩子神經突觸的連結，孩子需要的不是打補針、吃補品以幫助腦細胞生長，孩子需要的是父母的關懷使神經的連結更穩定稠密。

另外，本書指出一個很重要的觀念：大腦的記憶儲存機制並不是特別演化出來替我們服務的，它只是附加在一個很有效率的訊號系統上，cAMP的神經迴路並不是專爲記憶而設，它在胃、肝、腎中都有。它是在細菌這種單細胞生物中唯一找到的次級信使系統（它送出飢餓的訊號，與生存有重大關係）。這使我們進一步的了解爲什麼演化是個補鍋匠（tinker），手邊有什麼就用什麼，修修補補將就能用就好，它不是工程師，不是完美的設計。了解這一點，父母就不應追求孩子的完美，應該是「有用就好」。人的設計本來就不是完美的，如何能要求他的完美呢？

一門學問在表面上是各科各門，好像沒有什麼關係，但是研究下去，到根源時其實是相通的。這就是爲什麼博士學位叫做哲學博士，因爲當學問研究到透澈時，它回歸到源頭：人與外在世界的關係，這正是哲學討論的主題。這本書是個微觀的人與世界的關係，從分子生物討論到人的心智行爲。現在我們對於人之所以爲人最基本的問題，已經有了科學的解釋，我們知道記憶的分子生物學機制，便破解了記憶的奧秘，也爲阿滋海默症（Alzheimer's disease）病患帶來很大的希望。科際整合最大的好處使是突破傳統的研究法，科學家不再用內省法探討人的心智，他們用認知的生物研究方式，系統化的探討。這種研究方式把哲學問題帶到一個嶄新的境界，也替科學家打開一個新的疆域。

自從二〇〇一年三月間與陽明交大團隊去日本參觀過他們的腦科學中心之後，我心中就非常憂慮，別人已經跑在前面了，我們還在辯論什麼是認知科學，它的重要性是什麼。爲了在最短的期間內，讓國人（尤其是掌管經費大權的立委高官）了解什麼是認知神經科學，它與你我日常生活有什麼關係，我挑選了肯戴爾的這本書翻譯，將它介紹到台灣來。肯戴爾治學嚴謹，他的聲望應該無人懷疑實驗的眞僞（他的實驗是心理學界少數不被人挑戰的），所以本書資料的公信力是足夠的。記憶是我們每個人都關心的話題，只要上了一點年紀，大家都會擔心自己有沒有記憶衰退或得到阿滋海默症。在所有心智活動中，記憶是最根本的，它是所有智慧行爲的中心。不管是什麼樣的英雄好漢，聽到阿滋海默症也免不了談虎變色，就如《走過遺忘歲月》（*Remind Me Who I Am, Again*，中譯本新苗出版）一書中所描述的，阿滋海默症的病患每天都一再的問家人「請再告訴我，我是誰」。記憶的流失將一個人一世打拚所建構的自己，一點一滴的侵蝕光，一個人沒有記憶也就失去了自我。

我希望這本書能有暮鼓晨鐘的效應，喚起大家的意識，二十一世紀的今天，不能再關起門來做皇帝，我們必須知道外面世界的潮流，當我們還在劃地自限，招生簡章中還在印非本科系不得報考時，國外已經有哲學家去上分子生物學的課，如加州大學的切契蘭（Patricia Chunchland，聖地牙哥分校）和西爾（John Searle，柏克萊分校），從分子生物學的觀點討論人類的心智行爲及心物二元論了。但願這本書也能打開各位讀者的新視野。（原載於《透視記憶》，導讀）

5 會痛的幻肢

很多年前，我在醫院裡看到一個年輕的原住民孩子，他的雙手被高壓電打到只好截肢，但是他殘而不廢，生活一切都自己料理，獨立謀生，令我非常敬佩。他來醫院的原因是他已經被截去的手仍然會痛，而且是眞正的痛，痛得會冒出冷汗。當時我非常的驚訝，一個已經不存在的東西怎麼會痛呢？如果換成別人，我可能認爲他是裝病，藉機請假出來摸魚，但是這個勤奮的孩子，我知道他珍惜每一個工作的機會，他不會作假，他是眞正不得已才來求醫。不過「皮之不存，毛將焉附」？從常理上，這似乎是不可能的事，這個謎團一直到九〇年代，我在加州大學聽到拉瑪錢德朗（V. S. Ramachandran）的演講才恍然大悟。如今他把這些研

書名：尋找腦中幻影
作者：Ramachandran & Blakeslee
譯者：朱迺欣
出版：遠流

究寫成通俗的科普書解釋給大家聽，看到《尋找腦中幻影》這本書，我真是喜出望外，立刻推薦遠流公司拿版權，並且請長庚醫院神經科的教授朱迺欣博士翻譯。

台灣的醫師門診非常忙碌，往往連飯都沒有時間吃，更何況朱醫師除了門診之外還要教書及做研究，忙上加忙。但是俗語說「好花還要綠葉襯」，一本好書，如果沒有找對人翻譯壞就糟蹋了。朱博士是國內少數有做這方面研究的醫師，他對這些文獻非常熟悉，自己也有發表這方面的論文，可以說是這本書譯者的不二人選。我很想找他翻卻不敢拖人下水，深知開口了，便是剝奪他的休息機會，於心不忍，但是除了他，我也想不起還有誰可以有這個功力來翻這本書。

我把他的電話貼在牆上，每天瞥見就猶疑一下，看看自己哪天有足夠的勇氣拿起電話，請求朱醫師翻譯。這樣拖了一陣子後，有一天，天氣非常的晴朗，令人心情輕鬆愉快，我知道大部分的人接電話時都會看著窗外（如果他的辦公室有窗户的話），我想這種春光明媚的天應該有助於朱醫師答應翻譯工作。果然，朱醫師接電話的口氣很愉悅，一聽說是這本書，便立刻說他熟悉拉瑪錢德朗的研究，他已經讀過這本書了，很喜歡。一個愛書的人只要他喜歡這本書，什麼都好談。因此，我只花了半個小時，便說服朱醫師接下這個重任。那天心中非常高興，感覺自己像個媒人似的，替一本好書找到最好的歸宿。

事實上，主編的任務就是找好書，再找最適合的譯者把它介紹到台灣來。我知道有些出版社並不是這樣做，他們常找大學生或研究生翻，再請教授校閱審訂。我自己不贊成這種做法，因爲除非拿著兩把尺，一路比對下去，不然，許多細節校閱是校不出來的。一個觀念一開始時沒有介紹正確，以後即使花十倍的力氣都不見得改正得過來（「腦內革命」就是一個例子，它裡面錯誤一大堆，但是它先盤據在人們的心中，使後來正確的知識很難攻入）。我慶幸朱醫師贊同我的觀點，願意拔刀相助，一同爲台灣的科學教育努力。事實上，忙的定義很難下，台灣沒有哪個人是不忙的，能不能抽出時間來做有意義的事，只是看你怎麼安排生活中的優先順序罷了。

本書的作者拉瑪錢德朗教授是在印度出生長大，在英國劍橋拿的醫學博士學位，在美國加州大學聖地牙哥分校（University of California at San Diego）醫學院神經科教書的科學家。東方智慧加上西方邏輯，使他在臨床醫學這個領域成爲傑出的研究者，因爲一個好的醫師及科學家最需要的是觀察力。他在書中提到當年在印度接受醫學教育時，他的老師要他們眼睛閉起來聞病患的味道做診斷：糖尿病的人會有什麼樣的味道，腎臟病的人會有什麼味道，他說現代的正子斷層掃瞄或核磁共振只是在確定醫師的診斷而已。這句話眞是深得我心，一個好的醫師最重要的便是望聞問切。

以前我的老師便是用一套他自己的方法篩選出最適合做醫師的人。他給學生看一卷三分鐘的鷄尾酒會短片，看完之後，要學生在一大堆陌生人中指出誰是這個鷄尾酒會的主人。這個作業要求的便是歸納法，只要找出誰是所有人都有去和他握手的人便是主人，因爲鷄尾酒會客人雖然衆多，但是所有客人到了以後都會進去和主人寒暄，這是人之常情，因此，只要找出和所有人握過手的人便是主人了。

我常覺得觀察力和同情心是做醫師的基本條件。拉瑪錢德朗除了上述條件外又加上好奇心，對於臨床上奇奇怪怪的現象會鍥而不捨的追下去，找出最可能的解釋原因，所以他除了是好醫師外，也是好的研究者，我們在書中看到他所設計的實驗，眞是又有趣又實際，馬上分辨出假設的眞僞，令人擊節嘆賞。

他說一個眞正的實驗不需要昂貴的儀器，但是一定要有第一流的頭腦。他治療幻肢病患用的鏡箱便是到一角商店（dime store，美國有一些便宜商店，標榜店中所有東西不超過一美元）買的材料，但是這個「簡單實驗」的結果卻解開了幻肢之謎，也爲他在神經學界奠定聲譽。我們現在看到年輕人動不動就說「我沒有儀器，所以不能做實驗」，實在是不對的，一七九六年，瑞典的一位醫師夜晚在家中看到太太在紡棉紗，靈機一動，叫太太把一塊燒紅的煤炭綁在紡紗輪上，然後慢慢的轉動輪子，當輪子轉動的速度使煤炭成爲一個火圈時，他把圓周除以速度就得到了眼睛的視覺暫留長短，這個數據與今天以精密儀器測量出來的一模一樣。所以只要有好的頭腦，沒有昂貴的儀器一樣可以有創造發明。今天我們看到政府只注重硬體的建設而忽略軟體的功能，實在是一件危險的事。學校只爭取經費蓋大樓，卻不去經營大樓內教學老師的品質提昇，或是說政府給你經費買儀器卻不給你操作儀器的技術員，這都是捨本逐末的做法，也是我們今天教育的隱憂。

在這個迷信充斥的社會中，像《尋找腦中幻影》這樣的純科學書值得我們推薦。這本書從病患中風或腦傷後的怪異行爲談到意識、人性、演化、哲學，最後談到宗教。第九章「神與邊緣系統」與最近賓州大學醫學院神經科醫師所寫的《爲什麼上帝永遠存在》（*Why God Won't Go Away*）有異曲同工之處。上帝原來存在於我們的顳葉（temporal lobe），刺激顳葉就會有神跡的幻覺出現。所以最後第十二章，他把腦和行爲做了一個總結，試著從哲學的觀點回答什麼是「自我」。他認爲要回答這個問題必須換個角度看，不要把它當作哲學、邏輯或觀念的問題，而把它當作實驗觀察的問題。當一個命題可以從實驗來觀察時，它就有解了。

這是一本令你回味無窮的書，看了它，你會對你的大腦有一番新的認識，並對造物者的神奇無限的敬佩。（原載於《尋找腦中幻影》，推薦）

6 人是如何學習的？

腦掌管著人類的行爲與思維，是人成爲萬物之靈最主要的原因，我們對腦有無限的好奇心，它也是本世紀生命中唯一沒有解開的謎，「腦科學」(brain science) 是各個先進國家科學重點發展的項目之一。因此，認知神經科學在各個大學中如雨後春筍般的成立，它綜合了神經科學、心理學、語言學、電子計算機學和哲學各方面的精英，共同爲研究腦與行爲的關係這個目標努力。它的極終目標是解開大腦之碼，了解訊息在大腦中如何轉換成碼，被登錄、儲存、提取，形成我們的記憶，主宰我們的思想。

在教育上，我們一直很想知道人是如何學習的，人如何從一出生的一張白紙學習到今天的無所不能。也就是說，在教育上，

書名：發展的認知神經科學
作者： Mark H. Johnson
譯者：洪蘭
出版：信誼基金

我們一直很想知道智力與大腦發展的關係，爲什麼有的孩子是智障，有的孩子無法學習。《發展的認知神經科學》探討的就是大腦發展與兒童學習之間的關係。正如本書一開始時所說的，「發展心理學與認知神經科學合併後產生的新學科，就是發展的認知神經科學」。

這是一本比較深的認知神經科學書，作者詹森（Mark H. Johnson）把它定位在教科書的層次，他在自序中寫道，他寫這本書的目的，是希望引導更多的人進入認知神經科學的領域。一個領域後繼有人才會興盛，這個目的也是我回台灣以後一直努力的目標，所以我願意花時間翻譯這本書，幫助一些有心要念這個領域，但不知從何下手，或已有心理學背景卻因國內不重視這個領域，學校沒有開這方面的課，自己自修的人。他們可以把這本書當作敲門磚，了解這個領域的重要議題後，想一想這是不是自己有興趣的論文題目，再決定要不要以這個領域做爲終身的事業目標。

神經科學是上一個世紀末進步最快的領域之一。腦功能造影技術的發明與精進，使我們在活人身上看到大腦線上工作的情形。這個新知識可以說掀起心理學的革命，將過去領域劃分清楚的生理心理學、實驗心理學、發展心理學以及臨床心理學統統「送作堆」，產生出一個新的發展認知神經科學。這個新科學嘗試從腦皮質發展的觀點解釋兒童心智的表現，本書所引用的實驗，很多是我們心理學上所說的「關鍵性實驗」，即這個實驗的結果可以判定一個假說的生死。所謂科學的精神就是從假說中預測行爲的表現，然後設計一個實驗以檢驗這個預測，而一個關鍵性實驗就是它的結果可以決定這個假說的成立與否。

這本書令人激賞的就是作者簡單扼要的用關鍵性實驗釐清了很多長久以來存在於神經心理學界的各種爭辯。作者是英國人，或許是英國人謹慎、保守的天性，他的句子中不時出現「有可能」、「或許還有其他」等不肯定的字眼，讓你看到一個學者虛懷若谷的風範，什麼事話都不要講得太滿，即便是定律都有被修正的可能性。智者一定要替自己留些退路，台灣政壇彌漫著把話講到十分滿，動不動就說「切腹」，令人感到惋惜，因爲一旦事情不是如此，而又沒有「切腹」的話，信用就破產了。名譽是人的第二生命，這一點本書提供了很好的榜樣。

本書一再強調，胚胎發展時一點點的異常可以導致出生後認知行爲的大缺陷。這對台灣的父母來說尤其重要，我們中國人常愛吃補，什麼動物都抓來吃，連甲骨文的龜甲都磨成粉叫龍骨粉，吃掉不少的歷史文物，孕婦尤其愛安胎進補。殊不知在懷孕初期亂吃東西會造成胎兒發展上的異常，如一九五〇年代孕婦在懷孕初期會害喜，醫師便開「沙利竇邁」（Salido-mide）這個藥給孕婦吃，結果生出來的孩子變成畸形，而且因服藥時間的早晚，生出來的孩子缺陷不同，如懷孕的第二十到二十二天服了這個藥，生出來的孩子沒有耳朵；懷孕的二十四到三十三天，生出來的孩子沒有手；二十七到三十三天服了藥，生出來的孩子沒有腳。而這些畸形的孩子很多是有自閉症的，因爲那個時期正好也是在長腦的時期。所以看了這本書，我們會了解大腦發育上一點點的偏差會造成後天行爲上很大的差異。有人說，「害喜」是大自然對胎兒的保護，從這本書的大腦發展理論看來，的確如此。

中國的父母很怕自己的孩子輸在起跑點上，但是因爲沒有足夠的大腦知識，很容易受到不肖商人的蠱惑，將辛苦賺來的錢，冤枉地花在無益的「腦力開發」、「潛能開發」等補習班上。這本書的資訊正確，可以提供父母很多正確的知識作爲判斷的根據。腦的發展不是神經的生長而在神經的修剪，我們一出生時就已經有一生所擁有的全部腦神經細胞（只有極少數的地方，如嗅腦、海馬迴還會繼續生長），我們的大腦其實是在作修剪的工作，把多餘的神經元修剪掉（最近，有人提出唐氏症〔Down's syndrome〕是大腦修剪過度的理論），所謂增加腦力應該是增加神經元之間的連接，而不是坊間業者說的增加腦細胞的生長。神經的連接要靠經驗，父母應該放手讓孩子探索，不要管得太緊，綁得太死。這樣一方面可以健全孩子大腦的發展，另一方面可以有和諧的親子關係。童年是人一生最無憂無慮的快樂時光，我不希望看到父母因爲錯誤的大腦觀念而斷送了孩子唯一的童年。

本書第一章及最後一章意義深遠，值得讀者一看再看。一個理論必須有「殊途同歸」的證據支持才有價值，詹森一再強調單一研究法得出的假設在解釋上是很危險的，實驗結果的不同很可能是來自作業要求的不同。嬰兒不能做某些反應，並不代表他沒有某個認知能力，他很可能是心有餘而力不足，因爲作業的要求高過了他的執行能力。第三章中所舉的例子值得我們深思。

詹森是贊成建構主義的，但是他不贊成皮亞傑（Jean Piaget）式的解釋方法，他一再強調如果行爲的出現是需要大腦內在機制的支持，我們怎麼可能在不知道內在機制之前去解釋這個行爲？

本書立論精闢，證據豐富，觀念正確，我最欣賞馬克・詹森的一點是他句句有證據，從不打高空。讀他的書使我想起福爾摩斯說的「沒有數據的發言是罪惡」（It's crime to talk without data）。在習慣了台灣的政治生態以後，看到有人堅持有一分證據說一分話，眞是覺得耳目一新，萬分感動。

知識的重要性不但在於它可以轉化爲經濟，生財有道，最重要還在於它可以保護自己不上當，讓自己可以做出正確的判斷。信誼基金會是個民間幼兒教育的團體，她有魄力出版這本高知識量的書，值得我們的鼓勵與喝采。希望這本書能夠爲台灣的發展心理學和認知神經科學打開一片新的天地，培養出一批生力軍，共同爲提昇台灣的科學水準而努力。（原載於《發展的認知神經科學》，譯序）

7 藝術與大腦

馬格利特（René Magritte）曾有一張很有名的畫，上面畫的是一隻眼睛，底下的標題是「虛假的鏡子」（The false mirror）。鏡子本來是忠實的反映出所投射到上面的影像，不應該是虛假的，當你看到「眼睛—虛假的鏡子」這個相互矛盾的標題時，畫中的奧秘就耐人尋味了。《腦內藝術館》這本書要解的就是這個謎，它從繪畫入手，告訴我們大腦怎麼看東西，視覺訊息處理的神經歷程是什麼，但是這位英國的神經學家的作者薩基（Semir Zeki）卻從藝術切入，區分出「用眼睛作畫」和「用大腦作畫」這兩種差別：一個是被動的，只涉及視覺；另一個是主動的，因爲它動用到情緒和理解，這兩個層次截然不同。好像我們說，有的老師是

書名：腦內藝術館
作者：Semir Zeki
譯者：潘恩典
出版：商周

用嘴教書，照本宣科；有的老師是用心教書，春風化雨，這兩種老師的教學層次不一樣，教出來的學生成果也不一樣。

的確，視覺是一個創造的過程，需要精心努力才得以達成。我在教「知覺」（perception）這一章時，用的標題便是「眼見不爲眞」，我們所看到的其實是後天認知的解釋，不是完全由視網膜送上來的訊息來決定所看到的東西是什麼。也就是說，假如你不知道要看什麼，你是有「看」沒有「見」，事實即使擺在眼前也看不見，因爲你腦海中並沒有這個東西的背景知識。你的視覺組織的規則不能將外面五彩繽紛的訊息作分類，不能將你的注意力導到目標上，你就「有看沒有到」了。

這也是在演化上，很多東西在視覺上有「準備好了」（prepared）的特質。要使從未見過蛇的小猴子對蛇恐懼很容易，只要將蛇和母猴恐懼的臉配對一次就可以了；但是要使猴子對無害的花產生恐懼，就必須配上電擊，花一出現電擊就出現，連續很多次之後，猴子才會對花產生恐懼。對藝術，我認爲也有這樣的情形，不然爲什麼還沒有探索世界能力的小嬰兒會喜歡對稱的圖案呢？（嬰兒生下來就喜歡「美」的東西，這裡的美定義爲「對稱」，左右的對稱又比上下的對稱更喜歡。）

將藝術與大腦功能配對，從歷史上有名畫家的畫風解釋他詮譯外界事物的方法，從而推論他大腦的神經歷程，眞是一個全新的創舉，並且完全符合科際整合的要求——從不同的領域看同一件事，令人眼界大開。我們是人，生命有限，「生也有涯，學海無涯」，一般人很難作出跨領域的研究，更不要說跨神經學與藝術了。作者的藝術修養在念科學的人中，恐怕沒有多少人可以與他並駕齊驅。藝術和音樂是人在肚子塡飽、免於緊張恐懼之後，第一個想到的東西。法國南部洞穴中二萬多年前的壁畫，美國沙漠中印第安人的岩畫，都是人類有創作慾望的證據。

作者說藝術與視覺腦的功能極爲相似，藝術是視覺腦的延伸，藝術的發揮也需要遵循視覺腦的法則，一件藝術品對視覺腦造成的效果是藝術品吸引人的主要原因，所以一件好的藝術品是筆墨無法形容的，只能體會，無法言傳，這眞是非常有創意。難怪我們看到美的東西會感動得說不出話來，因爲視覺系統較語言系統發展的更完備。人類有眼睛比人類有語言早了幾千百萬年。我們在極短的時間之內便能察覺大量的訊息，二十毫秒（千分之二十秒）就能知道來者善不善，所以我們的大腦已經發展出一套迅速有效的辨識系統。用藝術來解釋大腦神經的歷程，我認爲是一個令人激賞的嘗試。如前所述，我們所看到的物體並不是物體投射在視網膜上的影像，它是大腦認知經驗的解釋，大腦和藝術一樣，都在追尋物體的恆長性和本質。

作者說顏色是頭腦建構出來的，外在的世界並沒有顏色。多年前，在研究所時，我曾讀到牛頓（Isaac Newton）說「光線並沒有顏色，它只是一種能量，讓我們產生看到某種顏色的感覺」，當時很不能了解，因爲我們的眼睛的確可以看到顏色。現在終於了解顏色只是大腦對某些物理屬性的解讀，顏色其實存在於大腦視覺皮質的V4區中，如果這區受傷了，病患不但認不出顏色，記不得顏色，連顏色是什麼都無法想像。薩克斯（Oliver Sacks）醫師曾經寫過一本《色盲島》（*Color Blind Island*），講的是十八世紀時南太平洋一個島，島上的居民被颱風帶來的海嘯捲走後，只剩下酋長兄弟二人和他們的親屬，經過多年的近親結婚後，島上的人是全色盲，完全看不見一點顏色。但是他們一樣可以正常的生活，薩克斯醫師非常驚訝當地原住民能夠很正確的採下成熟的香蕉，那個人說：「你們有色覺的人容易被顏色所主宰，看不見其他的線索，水果有沒有成熟，除了顏色以外，還有觸覺上的、嗅覺上的很多線索，顏色只會混淆你的知覺而已。」但是這些線索平常都被我們忽略了，我們會被這個假象所矇蔽，受到顏色的主宰，無法跳脫出來。

本書讓你一邊看一邊思考生命的意義與本質，例如，在實驗上，我們很早就知道顏色被察覺的時間最短，然後才是形狀，最後我們才看到動作。顏色被察覺的時間竟然可以比動作快上六十到八十毫秒，這眞是驚人的事實，但是以前都沒有從演化的觀點做思考。顏色是物體最顯著的屬性（the most salient attribute），在一堆東西中要找出某一個東西時，顏色是最有用的線索，小孩子在認知發展上也是先學會分辨顏色，然後才學會分辨形狀。難怪二萬年前的原始人就懂得替他們洞穴畫著色。

顏色、形狀、藝術、音樂都是人類演化來的本性，它與我們的大腦緊緊的結合在一起，從藝術的窗口，我們可以偷窺一下大腦內部工作的情形。視覺是大腦為了在瞬息萬變的世界中，尋找永恆不變的本質（如藝術）所發展出來的生理機制，它不是被動的記憶外界發生的事，就好像藝術不是被動的描繪外界的事物一樣。視覺是一個主動的參與者，依照自己的認知架構創造視覺的影像，藝術也是如此。

這本書是我們等待多年的第一本兼具人文與科學的跨領域的書，能夠同時具備神經學的專業（英國大學的神經學教授）和藝術修養（藝術評論家）這種人實在太少了，這麼多年來只有這一本，彌足珍貴。本書帶給我們跨領域知識交流的喜悅，也讓我們看到知識到最後其實是相通的，好像一棵枝葉繁茂的大樹，我們會被上面的紅花綠葉所矇蔽，忘記其實這些枝葉都是來自樹幹，在底下是相連的。藝術、視覺和腦有關，因為它們都與人有關。在經濟不景氣的今天，有出版社願意出版這類叫好不一定叫座的書，作人文與科技的橋樑，值得我們喝采與鼓勵。（原載於《腦內藝術館》，推薦）

8 記憶真奇妙

記憶是你成爲你最主要的一個機制，也是整個認知心理學中最吸引人的一個領域。千禧年得到諾貝爾獎的美國心理學家肯戴爾花了四十年的功夫解開記憶機制之謎，揭開記憶的神秘面紗。《奇妙的記憶》這本書將記憶的重要性質用淺顯的語言、誇張的圖畫表現出來，帶給你很多有用的新知識。例如我們都希望有很強的記憶，最好是過目不忘，看一次記一輩子，本書告訴你，歷史上曾經有過這麼一個人，他在看過一次幾十個數字的方程式後，隔了十年還可以一字不漏的背出來，但是他其實很痛苦，因爲東西看到就記住了，巨細靡遺，使他無法集中精神專心做一件事，他走進酒店想喝一杯酒，但是他馬上記住酒杯上刻的葡萄葉

書名：奇妙的記憶
作者：Diane Swanson
譯者：張麗瓊
出版：天下遠見

有幾顆葡萄，這些細節占據了他的注意力，使他無法好好的享受他的酒。因爲他無法專心，最後只好靠唯一的長處——表演記憶——維生，他一生都覺得自己一事無成、很沮喪。他的故事讓我們看到遺忘是必要的，人的記憶太好時對自己、對別人都是件痛苦的事。人生有些事能忘則忘，不必太計較。

另一個很特殊的記憶人物是亨利（是的，他就是你在所有教科書上都讀到的H.M.），亨利在九歲時出了意外使大腦受傷，神經開始不規則的放電（這就是癲癇）。到他二十七歲時，一週發作十次以上，使他苦不堪言，決定去醫院把大腦放電的地方切除。手術後，果然不再癲癇，但是他同時沒有了記憶，因爲醫師把兩邊顳葉內側的海馬迴切掉了。他只記得二十五歲以前的事情，以後再發生的事就是一片空白。

由於他的痛苦經驗，我們現在知道記憶需要經過一個「凝固」的歷程，好像在石膏盆子裡按了一個手印，如果你即刻把盆子拿起來搖晃，手形破壞，自然沒有任何東西留下。如果等到石膏模型乾了再拿起來搖，則無論怎麼搖手印都還在。這個凝固靠的是神經迴路的重複活化，因此，愈是過去的事情記得愈清楚（老人喜歡說「想當年」），而愈是最近發生的事愈是容易忘，這個神經迴路的活化，就是孔子說的「學而時習之」的內在神經機制。

孔子也說「學而不思則罔」，我們在記憶上看到一個迴路形成後，若能與別的神經迴路搭上線，別人活化時也順便把它活化一下，那麼這個記憶會被強化，同時思想是主動的神經連接，經過思考的問題不容易忘，因爲它已和大腦中許多穩固的老網路連起來了。這就是爲什麼要增加記憶最好的方式是多讀多看，而不是上補習班，因爲多讀多看會增加熟悉度，熟悉度會減少我們辨識這個東西所需的能源，大腦的資源節省下來了，便可以作聯想或去注意更多與這個東西有關的事情。所以這是一個正回饋，愈熟悉就愈不要大腦資源，大腦資源就愈可以釋放出來做與這個東西有關的輔助事情，下次看到這個東西就更熟悉、更快。我們初到一個房間，一眼不能收錄房間所有的東西，但是如果對這房間很熟悉，那麼某樣東西一移位，就馬上可以發覺。

父母了解記憶的基本神經機制後，便不會再送孩子上記憶補習班，把時間和金錢省下來讓他多閱讀多探索，反而對他以後記東西的速度會大大增加。

書上小方塊中常有一些有趣的實驗，可以在生活中自己試一試，例如十九頁的「你試一下」，可以很簡單的請你家人做目擊證人，讓他們了解「眼見」實在「不爲眞」，我們的眼睛通常只看重點，外面的訊息千千萬，但是只有通過「注意力」這個瓶頸的才能進入我們的意識界，了解這個訊息處理的特質，對將來想從事司法工作的孩子就很重要了。書上也教了很多記憶術，增加孩子背誦的能力，不過在現在電腦的時代這是不足取的，電腦的記憶體大過人的幾百倍，而且提取不會有錯誤（人的回憶會隨時間久了而變質，電腦不會），我們應該把要背的東西交與電腦，把大腦的負擔釋放出來作理解的工作。

早期的醫師在看診時，心中要記很多的事，一個四十五歲以下的婦女如果要照X光，醫師一定要她先驗尿以確定她沒有懷孕，免得X光會造成胎兒的畸形。現在醫師不必擔這個心了。病患進來，病歷資料打進去，如果病患是女性、四十五歲以下仍在生育期間，醫師選點X光，電腦自動就會閃紅燈，提醒醫師，醫師不必花時間精力記這些瑣事時，就可以多注意病患的病情。這只是一個小例子，說明現代對記憶的要求已經不一樣了。父母如果了解二十一世紀時代的需求，就不必強迫孩子去補記憶力、去背誦，孩子應該多讀書，多了解世界的百態與人情的冷暖，在這個時代懂得做人處世比會背書重要多了。

這本書雖是很薄小，但認知心理學在記憶上的精髓都有收錄進去，可以帶給父母對記憶的一個正確看法，我強力推薦它。（原載於《奇妙的記憶》，序）

9 阿滋海默症臨床第一手的資料

阿滋海默症是個令人「談虎變色」的疾病，縱然自己年輕，得病機率不大，家中有年邁父母的人也會擔心。所以每個人都爲這種慢性蠶食一個人心智，使其最後喪盡人性尊嚴而死的慢性病感到恐懼。但是恐懼並不會使這個疾病離開，了解這個危險卻能解除我們的恐懼。《讓大腦變年輕》這本書的出現，可以解除許多人對阿滋海默症的莫名恐懼，因爲作者斯默爾（Gary Small）本身是加州大學洛杉磯分校（UCLA）老年醫學研究中心的主任，從事阿滋海默症的研究多年，如今將他臨床第一手的資料寫成一本科普書，解答了許人心中的疑惑，這是本書第一個有價值的地方。

書名：讓大腦變年輕
作者： Gary Small
譯者：蔡承志
出版：商周

第二個有價值的地方是它對記憶本質的描述。記憶是人成爲人最重要的一個特質。早在一八八五年，艾賓豪斯（Hermann Ebbinghaus）就開始以無意義音節來研究人的記憶。它一直是認知心理學的主題，而且在一九五三年，因爲一個手術失誤，將心理學對記憶的研究帶到另一個高峰，並且開啓了神經心理學對記憶的研究。該年，一個二十七歲的年輕人亨利，因爲九歲時大腦受過傷，神經開始異常放電，到二十七歲時，一週發作超過十次以上，令家屬無法照顧他，便把他由美國送到加拿大蒙特婁的麥吉爾大學（McGill University）動腦部切除手術，將病變位置挖掉。當時麥吉爾大學的神經研究所執世界的牛耳，許多著名的神經學家都在那兒。手術很成功，醫師將亨利兩邊顳葉內側切除，亨利果然癲癇不再發作，但是他同時沒有了記憶，掌管記憶的海馬迴被切掉，他只能回憶到二十五歲以前的事情。心理學家米爾納（Brenda Milner）對他展開詳細的長期追踪研究，我們現在知道記憶可以分內隱和外顯兩種或陳述性和技術性兩種，都是來自科學家對亨利的詳細研究。他的受損，至少送了兩位心理學家進美國國家科學院作院士，可見記憶研究的重要性。

我唯一對本書有些意見的地方是作者的訓練記憶方法，他用的方法還是坊間記憶補習班所用的記憶術，用心像的方式將所要記憶的物件與熟悉的地點或木樁（peg）聯結起來，但是這種記憶術是在電腦發明以前，人類必須死背很多東西，又有很多人不認得字，無法將所要背的東西寫下來時，不得已使用的方法。現在教育普遍，人人上過小學，可以寫條子，就不必死背、複誦沒有意義的購物單或待做事項了。增加記憶最好的方法是熟悉度，看久了自然記得，所以我們贊成用廣泛閱讀來增加記憶，而不是用記憶術。對老人來說，與其去做這種無聊的記憶術練習，不如鼓勵老人閱讀、打橋牌、做義工，目前美國許多老人的社區，圖書館每隔一週有派圖書巡迴車替老人送書，鼓勵他們閱讀，或許這也是一個我們國家該走的路，因爲我們人口中已有一〇%的人民超過六十五歲，符合老人社會的條件了。

書中提到許多新藥，這是一個重要的資訊，最重要的是作者提到用藥的習慣，服藥要考慮藥性的半衰期，尤其不能自作主張增藥或減藥，因爲不同藥物吃進身體後可能會引起交互作用而將藥效抵消。書中舉了很多例子說明自行改藥的後果，我想這對我們是個很好的教育，凡事還是要相信專業，不可自作主張。在台灣，這種現象到處可見，例如有病時去找醫師，醫師開了藥又自作主張不按時吃，覺得自己比醫師更懂身體。又如當政策上需要專業背書時，便找幾個專家來開會，但是執行時便把專家的話拋到腦後，做的人個個都是專家。不過，身體是自己的，亂吃藥的後果是自討苦吃。

我一直認爲知識是力量，知己知彼，才能百戰百勝，不管任何疾病，知道其來源、發病特徵，對自己都是個保護。在ＳＡＲＳ猖獗的現在，台灣因爲知識水準高，所以對疫情的掌握及治療都比其他疫區有效。知識既然是力量，愈多知識對我們愈有利，希望台灣的讀者能利用我們是東南亞最蓬勃的出版天地，充實自己的知識。（原載於《讓大腦變年輕》，推薦）

10 從社會文化的觀點看大腦演化

我第一次被這本書吸引是因爲它的名字：星期五的腳印。爲什麼是星期五而不是星期六呢？所以我就把它拿起翻一下，一開始翻就放不下手，很後悔穿高跟鞋逛書店了。原來這個星期五不是代表星期的日子，而是《魯賓遜飄流記》(*Robinson Crusoe*)裡的土人——星期五。看到魯賓遜這個名字，童年夏日躺在父親專用沙發椅上看書的甜蜜回憶就出現了，這本書帶給小學四年級的我非常大的想像空間：船難，一個人飄流到荒島，蓄著長長的鬍子和頭髮，揹著一把獵槍——外國的蘇武牧羊。《魯賓遜漂流記》與大腦有什麼關係呢？我很好奇，當下決定把它買回旅館慢慢讀。這是這本書爲什麼會出現在《生命科學館》的理由之一。

書名：星期五的腳印
作者：Leslie Brothers
譯者：洪莉
出版：遠流

第二個理由是它是本很奇特的書，從社會文化的觀點看大腦的演化。的確，過去的研究都是把大腦看成單一孤立的個體來研究，從來沒有想到要把它放回它演化的社會情境中，看它爲什麼會演變出現在這個樣子。作者強調現代的人類學者都知道研究人的行爲必須在他生長的環境中了解，研究人的心智怎麼可能離群索居，不從大腦演化出來的社會情境中看人的心智來源呢？作者布拉澤斯（Leslie Brothers）的觀點很快的就說服了我她是對的。一九五〇年代，加州大學柏克萊分校（University of California at Berkeley）的心理學大師布朗斯維克（Egon Brunswick）就提出晶體模式（lens model）說明行爲的研究必須在行爲發生的情境中觀察，這個報告才有效。實驗室中被孤立隔離的猴子，牠的表現是不正常的，不能類化回群體的。這點，在實驗室待久的科學家常會忘記。

的確，當所有的變項都被控制住時，行爲也就變質了。作者舉了一個例子說明：猴子腦幹的藍斑（locus ceruleus）被刺激時會分泌正腎上腺素，這個神經傳導物質對情緒和警覺（alertness）很重要，實驗者發現藍斑神經元對威脅性或不愉快刺激（如威脅手勢或腳趾被壓）會快速反應，同時發現藍斑對渴望的食物如蘋果的出現也會反應，但是在以前的實驗中猴子從自動輸送機拿到蘋果汁時，神經元並沒有反應，那麼爲什麼這次會有呢？進一步的調查後發現，原來是拿著食物的實驗者引發這個反應。因爲在獮猴自然生態中的原野，位階低者不敢在高階者面前進食，這是違反猴子的倫常，如果有這種情形是表示小猴子在挑戰大猴子，通常與直接或間接的攻擊威脅有關，食物也很可能被搶走。所以實驗者的出現立刻帶給猴子警覺和威脅，藍斑的神經元就發射了。從這裡，我們看到回歸到動物生態的環境去研究它是多麼的重要。

其實，早在六〇年代，克林（Arthur Kling）就發現杏仁核受損的猴子的行為表現，依被關在籠中或在社會團體中而有很大的不同，尤其是攻擊性行為。但是人都是故步自封的，一個觀念的改變總是要經過很多人的努力後才得以成功，這也是我將本書選入《生命科學館》的原因之二。

第三個原因是作者從社會性的大腦看自閉症等社會行為的偏差，她認為自閉症者人際關係的偏差在於大腦中處理社會訊息「編輯」的失職，使得這些孩子在兒童心智理論的實驗上表現得非常差。最近核磁共振腦造影的研究也顯示自閉症兒童在看臉時，大腦工作的部位與正常兒童不一樣。正常人是下後顳葉與枕葉（occipital lobe）相交的 fusiform gyrus 會「亮」起來（「亮」代表大腦在工作，因為核磁共振計算的是帶氧血紅素和去氧血紅素上的差異，腦造影圖片上是紅色的，如果大腦沒有在工作的話，顏色呈藍綠色），而自閉症孩子看臉時是右邊下顳葉頂葉的地方在工作，這個地方是我們正常人看桌子、椅子等沒有生命東西的地方。因此，我們知道為什麼自閉症的人對面孔表情不敏感、不知悉了，他根本就是用不同的地方工作。

很有趣的是，我們中國人讀中文時，大腦亮起來的地方正是看臉的同一地方；但是，讀英文時這裡不會亮，假如你仔細思考，這個現象非常的合理，臉是有限的空間五官的組合，中國字是有限的空間筆畫的組合，這代表處理它的部分是負責大腦中空間關係的地方。了解自閉症兒童行爲的偏差是來自大腦處理機制的不健全後，會帶給我們很大的包容心，使我們可以用更寬大的心胸接受與我們不一樣的人。

在台灣，新知的介紹可以算很蓬勃，出版界一年出版三萬多本新書，但是我們國民還沒有養成閱讀的習慣，一個家庭一年買書的錢不超過一千元（但一張電影票就二八○元，一家四口看一場電影的錢已超過一年買書的錢了），知識的不普及造成這次SARS來襲的恐慌失控，三百多年前，培根（Francis Bacon）說：「知識就是力量，力量就是控制，控制就是安全。」假如我們能有閱讀的習慣，我們就知道《第四級病毒》（*Level 4: virus hunters of the CDC*，中譯本商周出版）及《伊波拉浩劫》（*Hot Zone*，中譯本輕舟出版）都已翻成中文，在書店可買到了，知道了病毒的特性，尤其知道其他國家是如何防疫的，我們就有前例可援，不會驚惶失措了。

如何養成我們國民的閱讀習慣，大量增加我們國民的新知識，大概是政府迫在眉睫、非做不可的事了。新加坡前總理李光耀先生看到二十一世紀資訊的掌握，是國家競爭力最大的決定因素，因此勇敢的站出來承認他是失讀症患者，讓國家注意閱讀，並把經費投到圖書館的設立及閱讀習慣的培養。我們的國家現在還沒有看到這一點，令我很憂心當我們的國民不能快速的吸取新資訊時，我們很快會被二十一世紀知識經濟的浪潮所淘汰。做爲一個知識份子，我個人所能做的就是盡力將與學習有關的新資訊引進來，希望新資訊、新知識可以打開執政者的視野與胸襟，不再以意識形態惡鬥，我很擔心我們繼續「鎖國」下去，不久以後，我們就會像魯賓遜一樣，在自己家園的荒島上，等待「星期五」的奇蹟出現了。

孔子說：「德不孤必有鄰。」先做好自己，自然會有朋願意自遠方來了，在SARS過後，滿目瘡痍的台灣，這本書有它的時代意義，但願它能像暮鼓晨鐘，敲醒我們的「自閉」心態。（原載於《星期五的腳印》，導讀）

11 腦內有乾坤

「性別差異」是個人人忌諱的題目，一談到它，大家都謹言愼行，生怕別人懷裡揣個錄音機，錄下不符合政治潮流的話，讓你吃不完兜著走。既然如此，我又爲什麼要翻譯《腦內乾坤》這本書呢？因爲我認爲性別差異是個實際存在的問題，對於任何實際存在的問題我們應該正視它，面對它，把它追究得清清楚楚，一旦知道它是什麼，以後就知道該如何對待它。沒有足夠的資訊無法作判斷，獨立判斷和批判性思考背後一定得有知識作後盾才行，而正確的知識正是我們目前所缺的。

在國外，神經科學已經走得很前面了，我們還在爭辯它是什麼。國中的生物課本告訴我們男生和女生是怎麼形成的，一個有

書名：腦內乾坤
作者：Moir & Jessel
譯者：洪蘭
出版：遠流

XY染色體，一個只有XX染色體，我們對性別差異的生理知識到此爲止，後來的教學便不再談XY和XX會造成行爲上什麼樣的差異。當性行爲有偏差時，我們也不知道它是先天的還是後天的、該譴責還是容忍。如果他是先天的，當然只好容忍他，因爲這與疾病是一樣的，你沒有選擇，所以你也不必負責任；如果是後天的，那麼人類從古以來演化的結果是打壓和自己不相同的人（所謂「異己」）。所以對問題的了解是很重要的，只有知道問題才能決定態度。

對於兩性在大腦上的差異，早在一九七六年做訊息加工處理實驗時，我就發現男女受試者的反應很不一樣，我當時做的是腦側化（lateralization）研究，需要把刺激的影像或文字快速的投射到左、右腦半球，我一連作了九個實驗都發現有性別差異，男生的腦比較側化完全，女生比較是分散式，左右兩腦都有某些特定的功能。當時的科技不容許我們看到大腦內部運作的情形，現在有了功能性核磁共振的腦造影技術，我們果眞看到男女兩性在作同一工作上大腦的反應很不一樣。

那麼，爲什麼男女兩性的大腦在功能上有這麼大不同呢？很早以前，研究智力測驗的人便告訴我們，男生比女生的空間能力好，女生比男生的語文能力好，爲什麼會這樣？這本書終於給你答案了。本書告訴你我們在生命的初期，原先是女胚胎，到六個星期左右，如果男性荷爾蒙出現，就會把這個女胚胎轉成男的；如果沒有出現，這個胚胎就是個女的。從這點看來，女人不但不是從男人身上的肋骨變的，男人還是從女人變來的。荷爾蒙第一次出現時，設定了大腦的迴路，到青春期荷爾蒙第二次出現時，完成天賦的性別使命，在胚胎的關鍵期，男性荷爾蒙過多或過少都會造成日後孩子性行爲的偏差，而男同性戀是女同性戀的十倍，也是因爲男性是由女性轉變而來，在轉變的過程上容易出錯（在生物界也和官場一樣，多做多錯，少做少錯）。

本書的前半部皆爲生理的觀點談性行爲偏差的原因，寫得深入淺出，我從來沒有翻譯任何一本書有像這本書那樣有使命感，覺得愈早譯出來，父母或子女愈可以因此落下心中的大石頭，可以好好的睡覺，沒有罪惡感。同性戀是天生的，不是單親媽媽帶著兒子相依爲命，兒子缺乏父親角色的模範變成的（這是不久以前，台灣的某一位名教授在演講時所說的），它也不是社會制約的結果（依制約理論，這個行爲如果可以「制約」，它就可以「消除」）。同性戀者會冒著生命的危險不改變，主要是這是一個天生的行爲無法用後天更改。這本書中舉了很多實驗的例子，說明各種程度行爲偏差的來源，我希望本書能帶給讀者正確的觀念。

本書的後半部談的是男女性別差異的現象和來源。基本上，性別差異反映出的是男女大腦設定上的不同，所以作者莫伊爾和傑塞爾（Anne Moir & David Jessel）呼籲女性應該依照自己的長處界定自己成功的定義，不要順著男生的腳步走，改變自己以適應男性社會的要求。他們認爲女性有許多特殊的長處是男性所沒有的，演化使得夫妻長處互補，人類才得以綿延下去，女性應該認清楚自己的長處，朝著長處發揮，才會快樂。成功的定義有很多種，不只是事業上的成功而已，兒女的成功、家庭的幸福也是很重要的。當然最重要的是不能違抗你生物的本性，順著生物本性走，事半功倍，不然的話，一定是事倍功半。

生物多樣化本是人類得以生存到今天的原因，打擊異己是茹毛飲血時代的行爲，承認不同的存在，接納它，並將它容納進來，這才是文明人的行爲。我希望這本書能使我們了解什麼是實質的平等，什麼是虛假的齊頭式平等，希望在了解自己後，我們能努力的使這個社會向上提昇。（原載於《腦内乾坤》，譯序）

12 大腦的解釋者

一九八一年，我申請到美國國家科學基金會（Nation Science Foundation, NSF）的博士後研究獎金，可以讓我到醫學院作腦神經方面的研究，於是，我從全國衆多的醫學院中挑選出康乃爾大學（Cornell University）醫學院的葛詹尼加（Michael S. Gazzahiga）教授做爲心目中第一號人選，約了時間和他面談，希望他收我作他的博士後研究員。康乃爾大學的醫學院位在紐約市，我依約準時到達，見到慕名已久的大教授，談了半個小時，一切都好，我很高興的走出大樓時，卻發現停在路邊的車子被偷了，就這麼短短的半個小時，剛買的新車就不翼而飛。

這件事使我對來紐約市生活考慮再三，不敢單身住這個大都

書名：大腦比你先知道

作者： Michael S. Gazzaniga

譯者：洪蘭

出版：遠哲科學教育基金會

市，因為我知道作研究的人不可能是朝九晚五的那種上班制，我們出沒的時間是不定的，看實驗什麼時候做完什麼時候回家。半夜走在這個大都會非常令人擔心，所謂夜路走多終遇鬼，我不敢拿生命冒險，所以在家人的大力反對之下，後來放棄康乃爾大學而去了加州大學醫學院。這一件事使得我失去追隨葛詹尼加作實驗的機會，心中十分的惋惜。

二十年後，遠哲基金會拿了葛詹尼加寫的這本書《大腦比你先知道》來請我翻譯，我真是非常高興，能夠把他的研究介紹給台灣的讀者，也算是了一個心願吧！

這本書是總結葛詹尼加三十年來的研究，寫得深入淺出，非常的適合一般讀者或大學生讀。葛詹尼加是一個不多言、不作虛功的人，他說話簡單扼要、直搗黃龍，沒有一句廢話。他做事乾淨俐落，直截了當，沒有一點浪費。他的老師是一九七六年諾貝爾醫學獎的得主羅傑・史培瑞（Roger Sperry）教授，所以葛詹尼加是從演化的觀點看待大腦，從它的功能著手研究。他認為大腦最終的目的是達到內在認知與外在刺激之間的平衡，因此大腦有個「解釋者」（interpreter）座落在左腦半球，將感覺器官送上來的訊息作一個最合理的解釋，必要時作一些補償性的調整，因而導致我們產生錯覺。所以腦部受傷的病患會睜眼說瞎話，非常自然的編一個最能解釋現狀的謊話以滿足他合理化的需求。

葛詹尼加曾經問一位大腦受傷導致複製失憶症（reduplicative para amnesia）的病患她現在在哪裡，這位病患堅持她身在緬因州的家中，葛詹尼加打開檢查室的門，指著門外的電梯說：

「假如你是在緬因州的家中，門外怎麼可能有個電梯？」這位女士兩眼看著他，一眨也不眨，很鎮靜的回答說：「醫師，你知道我花了多少錢才把這個裝上嗎？」

因爲人有把行爲、想法、感情合理化的需求，所以人才有很多痛苦，才會發展出各種解釋以解決認知失調之後的心理不平衡。比如說好朋友突然不理你了，見你走來就立刻過馬路去走另一邊的人行道，你一定會反覆的詢問自己：「我是否有欠他錢沒還？是昨晚的牛肉麵嗎？是前天的電影票嗎？我是否在無意中得罪他？」你開始把這兩天生活的細節追憶一遍，仔細推敲是否有得罪他的地方。因爲你覺得他的行爲不合理，你必須替他找出一個合理的解釋，如果找不到，你會很痛苦。

假如你有前後言行不一致的行爲，那麼你會找各種理由來解釋後面行爲的改變。假如你曾經對琳達和安琪一樣的鍾情，無法分出高下，但是因爲你只能娶一個爲妻，所以你選擇了琳達，那麼一旦你作了選擇，安琪在你心目中的地位就立即下降。因爲你必須說服自己娶琳達爲妻是個正確、明智的選擇，所以安琪的缺點會在你眼前放大。到最後，你說服了自己你的選擇是對的。

像這樣的例子我們在日常生活中到處可見，但是葛詹尼加是第一個在實驗室中說明（demonstrate）大腦的解釋者的存在並證實它在左腦的人。他的受試者是因藥物不可控制的癲癇而把連接兩個腦半球的胼胝體剪開，使一邊大腦的異常放電不會傳到另一邊而干擾病患的正常作息。透過實驗的特別設計，葛詹尼加可以把字或圖形投射到病患的左腦或右腦，因為中間的通道被剪斷了，所以兩個腦各自獨立，互相不知道對方看到什麼。因此當不會說話（請注意，我用的是「不會說話」而非「沒有語言」）的右腦看到「去散步一下」這個指令時，他把椅子往後退，站起來，預備離開這個房間，但是當實驗者問他要幹什麼時，他不清楚狀況的左腦立刻回答說：「噢，我口渴了，要去喝點水。」左腦並不知道右腦看到「離開」的指令，它只看到自己把椅子推開，站起來，因此立刻編了一個符合目前狀況的理由以解釋自己的行為。

我看了很多有關大腦的書，沒有一本像這本書如此強有力的說服你大腦是演化而來的，它存在的目的就是為了幫助你做出更好、更有利的決策以使你的基因傳下去。因此大腦大部分的決策是在我們還沒有意識到時就已經完成了，當我們的意識經驗告訴我們發生了什麼事時，大腦已經做完它的工作，因為大腦內部的系統絕大部分是個自動化的，當訊息層層往上送，最後到達意識界時，它已經做完了。我們的新聞對大腦來說是個舊聞，它早在半秒之前就知道了，為了不讓我們察覺它什麼都比我們早一步，所以它製造出一個錯覺，讓我們以為自己有主控權，所以你才看到前面所說的那些例子，大腦的解釋者在解釋使我們以為自己是心智的主宰。實驗心理學家設計了許多巧妙的實驗說明這一點，書中有詳細的說明。

這是本書最令人信服的地方：許多原本是看不見、摸不著的大腦內在運作，透過巧妙的實驗使你恍然大悟，原來大腦是這樣的。身為實驗心理學家，雖然明知應該要謙虛，還是忍不住要說，實驗心理學家所設計的實驗實在漂亮極了。我想不論對大腦有沒有興趣，念心理學的人都應該好好讀一讀這本書，看看所謂的「關鍵性實驗」是怎麼做的。

多年前我曾翻譯過《記憶vs.創憶》一書，許多人以為封面印錯了，把「創意」印成「創憶」，其實不是的。那本書主要是說記憶是個重新建構的歷程，我們無時無刻不是在創造記憶。在《大腦比你先知道》這本書中，開宗明義第一章，葛詹尼加就說「虛構的自我」，記憶的重新建構是從知覺開始，一直到推理為止。所有的事情都是在大腦計算完成後，「我們」（也就是「心智」）才了解。但是在這個過程中，「解釋者」扮演著一個舉足輕重的角色，它告訴我們那些計算是什麼意思，它迅速的瀏覽我們過去的歷史，找出一個最能解釋計算資料的理由報給我們聽。

葛詹尼加比《記憶vs.創憶》的作者羅芙特斯教授更高明的地方是，他找出這個假設究竟是發生在哪一個階段，是訊息一開始就被登錄錯呢？還是在提取時才發生錯誤？實驗結果發現偽記憶是在登錄時就發生了，因為他在給受試者做腦部功能造影時，發現受試者在假記憶時，左腦是很活躍的，因為我們的解釋者是座落在左腦。費爾卜斯（Elizabeth Phelps）的實驗也發現，裂腦病患的左腦會誤認沒有出現的圖片為曾經出現過的，而右腦因為沒有解釋者，所以連一個錯誤都沒有犯。我們左腦的「解釋者」應用邏輯推理把故事中原來沒有的空白填補起來，這就是爲什麼日常生活中常常會有「羅生門」的現象發生。（在黑澤明導演的《羅生門》這部電影中，三個目擊者述說同一件事會得出三種不同的版本。）

「解釋者」當然只是一個擬人化的名詞，它是大腦的一個機制，用來分析爲什麼一個感覺改變了或是某個行爲是什麼意思的工具。就如波爾（Neils Bohr）所說的，「科學的目的不是描述一個現象的本質，而是追求它與我們經驗之間的關係」。這本書做到了這一點，它是一本有科學價值，經得起時間考驗的科普書。我很用心的將它譯成中文，希望能把葛詹尼加的研究介紹給台灣的大衆，同時也希望能稍微彌補我二十年前放他鴿子的不是。（原載於《大腦比你先知道》，譯序）

13 照亮自我的一盞明燈

當殺害白曉燕的兇手陳進興伏法時，他把身上器官捐出來，肺臟給了一位在台大醫院等待器官移植的女士。想不到當她發現這個肺臟是來自惡名昭彰的陳進興時，一口就拒絕了這個機會。雖然醫生一再告訴她「狼心狗肺」只是個形容詞，一個人好不好不在他的器官，而在他的大腦，但她仍然不敢要，寧願死也不肯冒險。這件事給了我很大的震撼，我不能想像在複製的桃麗羊都已成功的二十世紀末期、在台灣錢淹腳目的寶島，我們的科學概念竟如此落後，以爲接受了壞人的器官就會接受到他壞的基因、有他壞的行爲。

後來，在學生的結婚喜宴上，我用此問題問同桌喝喜酒的客

書名：我從變中來
作者：Todd E. Feinberg
譯者：洪莉
出版：遠流

人（雖然不太認得，但以新郎、新娘的背景看來，至少是大學畢業的知識份子），想不到絕大多數表示猶疑，不敢接受陳進興的器官，有一個甚至以寡婦餓死事小、失節事大的比喻告訴我寧死不要。當晚，我一回家立刻上網搜尋有關大腦與心智的科普書，決計不論任何代價都得把這方面的知識帶進台灣來。《我從變中來》這本書就是在這個情況下搜尋到的。

這本書是少數從醫學和哲學的觀點來討論「自我問題」，而內容寫得讓一般人都看得懂的書。作者方伯格（Todd E. Feinberg）是位極具臨床經驗的神經科醫師，在世界著名的愛因斯坦醫學院（Albert Einstein College of Medicine）教書，他研究的正是二千年來衆說紛紜的「大腦如何創造出我們的心智」這個古老的問題。雖然大家都承認「我」就是意識經驗的主體，但「我」的邊界並不是完全固定不變的；事實上，自我與他人的邊界非常有彈性，會應環境的需求而改變形式，或甚至衍生出原來沒有的部件。這點非常令人驚奇，因爲過去都認爲它像皮膚一樣，清楚地劃分出自己與外界的差異。

爲了說服讀者自我的疆界是不穩定的，隨著腦傷部分的不同而有各種不同的自我形態出現，作者用了全書前半部的篇幅介紹神經心理學上自我改變的病歷個案，從改變了自我的病人行爲中，讓讀者了解「自我」在人的一生中其實是不斷在改變的，這個「彈性」大概是閱讀本書的第一個震撼。

在建立自我的本質後，第二步很自然地便是追問這個自我居住在大腦的什麼地方，「只在此山中，雲深不知處」的態度在過去可以被接受，在二十一世紀的現代便成爲不負責任的說法，現在這個問題已成爲先進國家科學重點發展的項目。因此，本書的後半部便是討論自我位於大腦的何處及如何產生的。

作者列舉許多臨床例子有力地說服大衆，大腦的任何部位對自我的存在都有貢獻，例如頂葉對肢體的感覺很重要，如果遭到破壞，病人會有身體失覺識症（asomatognosia），不知道床上的腿就是自己的，當病人努力將這隻毛腿推下床時，自己也跟著掉下去了；額葉對維持自己與外界的適當關係非常重要，如果遭到破壞，病人會有虛構故事的現象發生，搞不清楚哪些是眞的、哪些是虛構的。這種不由自主、沒有惡意的謊言，讓我們對人性有更深一層的了解，也對孩子說謊有更大的包容心。因癲癇放電無法控制而把胼胝體剪開的病人，讓我們看到胼胝體對心智統一的貢獻，病人並不因爲連接兩個腦半球的胼胝體被剪開而出現兩個心智。

然而，儘管大腦中有這麼多部位都在創造自我，卻沒有一個地方是自我的所在地；也就是說，沒有一個地方是「笛卡兒劇場」，把將各地送來的自我訊息匯整成一個統一的自我。因此，第三個問題就變成「大腦如何製造出統一的自我」——這個東西在各個部位製造，但又沒有一個匯集的地方，這個自我是怎麼出現的？此部分是作者最大的貢獻，他提出自己的看法，認爲包含性的階層組織便是自我出現的秘訣，大腦中並沒有意識的頂峰（pinnacle），但是我們的意義與活動都在包含性的自我階層性中整合了，所以我們的經驗是整合的、統一的，而不是各自爲政的零落經驗。因此，現在我們知道笛卡兒的心物二元論是錯誤的，「皮之不存，毛將焉附？」大腦受傷了，心智就隨之改變，心物是互爲表裡的一體，是一元論而不是二元論。

這使我們重新思考演化、思考生命的意義及人活著生存的目的。地球有四十五億年的歷史，它發展得很慢，雖然演化無時無刻不發生，我們卻感受不到它的改變。我很喜歡古人的一句詩：「江月何時初照人，江邊何人初見月？」我們現在看到的月亮即我們祖先所見的月亮，又不是當年祖先所見的；抽刀斷水水更流，還是同樣的河卻不是剛剛的水。個人的生命是看似不變的宇宙中一直變動的歷程，因此我們的存在對宇宙是有貢獻的，就像一個大的框框沒有變，但是因爲組成大框的小框在變，所以大框終究也跟著變了。

演化是從無生命創造出有生命，但只是活著並不代表是有意識的生命，現在太多的人沒有意識地活著，非常令人憂心。在上位者是紙醉金迷地活著，沒有國家民族的意識，在下位者則行屍走肉般地活著，沒有希望地過一天算一天。當大部分的國民把自我覺識的心智從世界中獨立出來時，他們同時也與其他的自我及生物分離了。每天報紙社會版報導的殘忍兇殺案，其實就是這種分離的結果。我們可以捐出器官或血液，但是我們的生命意義只有從自我的實現中來體驗，它是獨一無二、是做人的最高理想，也是在形體消失後，唯一可以留在宇宙中讓後人感懷的東西。

演化使我們從物質中（大腦）創造出一個非物質的東西（心智）出來，而這個源於物質的東西竟可以在物質消滅後仍然存在，難怪大腦的領域如此迷人。但願這本書可以是一盞照明燈，讓讀者在了解自我的意義之後找出生活的目的，而不虛度此生。（原載於《我從變中來》，導讀）

第 3 篇

教育科學

1 孩子最佳的心理建設武器

一九九九年三月底我從美國考察回來，在飛機上打開報紙，社會版的右上角斗大的黑字「高三女生因甄試未獲錄取，跳樓自殺」，底下緊接著是「國一女生與家人口角，跳樓自殺」，同一個版面，兩個年輕的生命就這樣毫無意義的逝去了，看著令人觸目驚心。我不由得想到國家衛生院吳成文院長的夫人陳映雪博士，她與癌症抗拒十三年，不願放棄仍然熱切地盼望生命，我想到醫院中那麼多等待換心、換腎的病患，他們不願放棄希望，期待明天奇蹟會出現。整個飛行途中，我一直在想爲什麼現在年輕人生命力這麼脆弱，經不起打擊，受了挫折，不先想積極的反攻而是消極的想退縮，口邊常掛著「算了，一了百了」，好像對生命沒

書名：一生受用的快樂技巧
作者：Martin E. P. Seligman
譯者：洪莉
出版：遠流

有絲毫留戀。

我還想起一位教授打電話給我說，他把我翻譯的《學習樂觀・樂觀學習》一書中的樂觀／悲觀量表給他教的心理系班上的學生做，想不到收回來時發現大部分的大學生都很悲觀。有一位中研院的朋友也告訴我：「我以為自己是很樂觀的，做了量表才知道我其實是蠻悲觀的。」假如已經脫離聯考壓力的大學生和事業非常成功的人都還是悲觀的話，難怪還在升學壓力下的孩子要跳樓了。

憂鬱症是在一九六〇年代開始流行的，到現在好像流行性感冒一樣到處可見。以前的人「為賦新詞強說愁」，現在的人年紀輕輕就已嘗夠愁滋味，動不動就說不要活了。有一個研究發現一九二五年左右出生的人有四%的人在進入中年以前會發憂鬱症，但是五五年以後出生的人在二十歲左右就已有七%的人得過嚴重憂鬱。反而是歷盡滄桑、受盡艱苦的一六年以前出生的人一直到老才有一%的人有過嚴重憂鬱。現代的人比他的祖先輩得憂鬱症的比例高了十倍，這眞是一個令人不可忽視的數字，我們一定要問為什麼現代的人患憂鬱症的比上一代的多？找出原因後才可對症下藥。

憂鬱症對身體的殘害是慢性的，它逐漸蠶蝕我們的意志，使我們的身心落入不可自拔的深淵。現在有很多的研究顯示心情是疾病（包括傳染病）最大的剋星，心情好，動完心臟病的手術復原較快，復發率較低；相對的，憂鬱的心臟病病患往往在出院後六個月之內就會復發，而且憂鬱對身體的免疫機能也有傷害，減低我們對疾病的抵抗力。

本書的著者，任教於賓州大學心理系的塞利格曼教授，曾是美國心理學會主席，也是許多國際學術大獎的得主，他看到憂鬱症在青少年間的普遍性，患憂鬱症的年齡節節下降，從以前成年才發病到現在國小的學生就已經出現憂鬱症，所以寫這本書教導父母老師如何對抗這個悲觀的思想形態。現在的社會從我們父母或祖父母時代的注重團體成就轉變成注重個體享樂、追求自我滿足的社會。以前我們教學生人生目標最重要的是潛能的發揮，是自我成就，現在這個目標被追求快樂及自我膨脹的自尊所取代。他認爲教育學家所主張的自尊已變成不誠意的恭維，想想看，如果每一個人都很特殊就沒有人是特殊的了。他發現父母所設定的行爲標準與規矩愈清楚，孩子的自尊愈高，這眞是與一般人以爲的不一樣。

塞利格曼作了一個實驗說明這個道理，他給兩隻老鼠同樣的電擊，但是一隻老鼠不知道什麼時候電擊會來，另一隻老鼠則在電擊來到之前有一個鈴聲作警告，結果，雖然兩隻老鼠受的電擊量和次數是一樣的（牠們被電時都會緊張驚恐得全身縮成一團），但是前者會得到嚴重的胃潰瘍、精神衰弱，而後者卻沒有這些症狀，只有在警鈴響時開始緊張害怕，其他的時間則是放鬆的。這個實驗告訴我們，只要讓孩子明白規矩是什麼，嚴一點並沒有關係，怕的是父母喜怒無常，賞罰不分，那麼孩子將無所適從，長期處於緊張的狀態之下，就會造成身心的不適，對事情悲觀，因爲他覺得不安全沒有主控權。

所以作者勸告父母，晚上若要外出，找人來看孩子時，切記不可因爲孩子看見父母離開會哭鬧便偷偷溜走，這雖然解決了眼前的問題（沒有哭），後遺症卻很大。這會使孩子對父母不信任，沒有安全感，以後會寸步不離的黏著父母，因爲他學到一個教訓就是父母會隨時失蹤，自己會孤伶伶的被拋下。對幼小的孩子來說這是一個恐怖的經驗，所以他再也不敢把眼睛離開父母。

塞利格曼博士這十多年來都在從事兒童與大人憂鬱症的治療，在這方面有很多心得。他認爲，現在學校中倡導的提昇孩子自尊的方法只注重孩子的感覺（如誇張的吹噓：我最棒、我最好、我是世界第一），而沒有讓孩子從表現上（如征服、堅持、克服困難）使自己覺得有自尊，所以反而使孩子陷入低自尊的情境中。我覺得他說得很對，成就的快樂不是一種可以與我們所作所爲分開的感覺，自尊是來自孩子所有的失敗與成功，它是結果，不是原因。如果不是原因，我們怎麼能直接去提倡「果」而不講求「因」呢？我看過國中的輔導課本上有寫說：「每天早上起來對著鏡子大喊三聲：我最棒，我最好，我是天下第一好！」當時的感覺是滑稽，這樣就能提昇自信自尊了嗎？

一九六〇年代大力提倡「自我感覺良好」的結果造成青少年憂鬱症。要扳回這個劣勢是很不容易的，塞利格曼博士提出樂觀的「解釋形態」，要將孩子從悲觀改樂觀，從無助改成征服，因爲，當孩子表現不好、遭到失敗時，他會問「爲什麼？」「是誰的錯？」「這個錯誤的後果有多長遠？」這本書從十一章起都是練習題，訓練父母，也訓練孩子從悲觀的解釋形態中跳出來。的確，天下沒有不勞而獲的東西，自尊與愉快的感覺只有從征服挑戰、工作成功、克服挫折而來。

書中非常重要一點就是教孩子反駁自己悲觀心態時要精確，反駁必須根據事實，必須是可以被證實的。因爲反駁如果是不清楚或是空虛的正面思維，就無法打消他的悲觀。這一點可以說是與我心有戚戚焉，目前在社會上看到太多的不實與誇大，一味的正向思考，如果沒有內涵，再正向也無用。我們應該在孩子完成一件事時獎勵他，而不要僅是爲了要他心情好就獎勵他。同時獎勵應分等級，不要不論好壞，一視同仁，成就不同，獎勵應不同，不要過分的獎勵。如果孩子不論做多好都予以同樣的獎勵就會使他無助，因爲他會失去「主控」的感覺。無關聯的獎勵會使孩子對你失去信心，不知道什麼才是你的眞心話。

如果工作很困難，孩子的能力還做不到，我們也可以將工作分段，分成小的、較容易達到的步驟。我們不要掩蓋失敗，有的時候失敗和成功一樣重要，因爲它使我們再思考，我們常說「失敗爲成功之母」，但是碰到失敗時卻很少人能正視它，從中提取教訓。

塞利格曼博士認爲我們也可以使用懲罰，但是懲罰時必須有明顯的信號（即前面老鼠電擊前的鈴聲），使孩子完全了解哪項行爲是處罰的原因，不要罵孩子是個壞孩子，應該罵他不好的行爲。人生不可能沒有挫折，如果孩子在壞事情發生之前得到清楚的警告，他就會學到沒有警告時他是安全的。

塞利格曼博士在第十五章說樂觀不是高唱快樂思維，空虛的口號對自己說「別人都喜歡我」、「我的生活會愈來愈好」只能帶給你短暫的紓解，不能助你達到目的。我不厭其煩的在這裡一再提到這點，因為我感到這種自欺欺人的假自尊在我們社會中已經相當流行，我擔憂它的後果。我們不該教孩子戴著眼罩，看不見世界上的骯髒與污穢，我們要教孩子面對事實，檢驗事實。當一個孩子可以正確的評估落在他身上的困難時，他就具備處理這個困難所需的堅定及克服問題的能力了。

大自然是充滿危機與挑戰的，人是大自然的一份子，我們沒有理由認為生活就應該是平穩順利，生活本來就是每天要應付突發的危機與此起彼落的挑戰。我們必須教導孩子正確的人生觀，他才能順利的克服二十一世紀帶給他的挑戰，而這本書正是孩子最佳的心理建設武器。有了樂觀的解釋形態，他就能昂首闊步的走入二十一世紀，這是每一個家長和老師應該讀的一本好書。（原載於《一生受用的快樂技巧》，推薦）

2 打破過去的教條

這本書會吸引我的注意力是因爲我看到麻省理工學院（Massachusetts Institute of Technology, MIT）的史帝芬·平克（Steven Pinker）居然替它寫序。要能使平克寫序，此書必有來頭（難怪國內喜歡找名人寫序，此招果然有用）；再一看作者的簡介就立刻打動了我的心，原來這本書的作者是三十多年前被喬治·米勒博士（George Miller，當時是哈佛心理系的系主任）退學的研究生哈里斯（Judith R. Harris）。米勒在心理學界可是赫赫有名，可以算得上是認知心理學的開山始祖，因爲他一九五六年寫的那篇〈魔術數字：七±二〉到現在還是心理學入門必讀的文章。

哈里斯小姐離開哈佛後，以編寫發展心理學教科書爲業，她

書名：教養的迷思
作者：Judith R. Harris
譯者：洪蘭
出版：商周

所寫的書還很暢銷，連續出了三版（這也很諷刺，一個被大學踢出來的學生卻編寫大學生讀的教科書）。一九九五年，心理學最權威、退稿率最高（八五%）的期刊《心理學評論》（*Psychological Review*），登載了一篇〈教養的迷思〉（Nurture Assumption），完全反對時下流行「孩子的好壞是父母的責任」的說法，主張孩子的人格與孩子的同儕團體有關，與父母的教養方式無關。這篇文章從基因遺傳學、社會人類學、心理學、語言學的觀點，舉了非常有力的證據支持這個新的說法。幾百年來，沒有人挑戰過教養的假說，因此，這篇論文一出現，立刻引起軒然大波，它等於把過去一百年來，人格心理學與發展心理學家的重要理論都否決了。

更令人好奇的是這麼一篇巨著，作者名字底下居然沒有掛任何研究所或大學的名字，除了知道她是女性外，不知她是何方神聖。這種情形在心理學界是從來沒有過的，因猜測她身分而打賭輸的人不知道有多少，大家怎麼想都想不到這麼一篇重要的文獻會是出自博士沒念到，被退學的人之手。因爲這篇論文，九七年美國心理學會頒給她一個傑出論文獎（outstanding recent article），這個獎，不偏不倚，正是爲了紀念心理學會的前理事長所設的喬治・米勒獎。這眞是個天大的諷刺，也替作者一舒四十年的怨氣。

這本書寫得非常精彩，博徵旁引。她舉的例子都是你以前知道的，但是從來沒有想到可以從另一個角度解釋，它使你恍然大悟，原來同一個現象，理論不同時，可以有這麼不同的解釋。難怪心理學家一再呼籲，解釋理論不能有預設立場，一旦先入爲主，有了成見再去看證據，連數字都會扭曲。

基本上我是同意她的看法的，讀社會科學的人在解釋人的行爲時，很少考慮到基因的角色，人格當然有基因的成分在裡面，因爲孩子是父母生的，從父母而來的，所以在談論人格的形成時，必須先把基因的部分分離出來，再來看環境的部分才有意義。這樣做後，你就會看到哈里斯「團體社會化」理論的要義了。文化是由兒童的同儕團體傳承下去的，移民的子女採用同儕的文化，一個個都變得和新社會的人一樣而與他的舊祖國不一樣。兒童的社會化並不是模仿大人，因爲大人可以做的事小孩一般都不可以做，例如隨意進出大門、很晚上床睡覺、只吃喜歡的東西、可以罵人等等。她舉了一個很幽默的例子說明：犯人在監獄裡並不是要模仿獄卒，他要模仿其他的犯人才可以在監獄中生存下去，模仿獄卒對他適應監獄一點好處也沒有，因爲獄卒可以做的犯人都不可以做。

哈里斯認爲人的社會化、人格發展以及文化傳承都發生在同一個地方，用同一個方法，那就是同儕團體。孩子與同儕共享的世界是塑造他們行爲和性格的地方，同儕團體決定了他以後會是什麼樣的人，不是他的父母。

她的理論細想起來是很對的，中國人不是也講說「蓬生麻中，不扶自直」嗎？如果父母很重要，爲什麼孟母還要三遷？大家都知道，孟母是個偉大的母親，假如父母決定孩子的人格，那麼，就算孟母不搬家，孟子也應該很好才對，爲什麼她要不嫌麻煩的一搬再搬呢？我們現在知道，兒童遊戲的團體對兒童的人格成長是有關係的。

英國的葛林爵士（Lord Green）說：「學校教育的目的不是學到任何有用的東西，而是培養人格和情操，對社會有正確的觀念，交到正確的朋友。」一個低層社會黑人的家庭搬到中產階級白人社區住時，這家的孩子自然就變得和中產階級的孩子一樣，溫文有禮，因爲學校中每一個人都這樣時，孩子有附和群衆的壓力，他自己就有動機想要變得與其他的同學一樣。同樣的，白人的家庭搬到貧民窟黑人社區時，孩子立刻也滿嘴髒話了，因爲不是這樣，打不進同儕的團體，別人會排斥你，因爲你和他們不一樣。

哈里斯舉出英國上層社會的父母，一年難得見到孩子一兩次，孩子生下來就交給保母、家庭教師帶，長到八、九歲送到寄宿學校讀書，等到十八歲孩子畢業時，一個個都是英國的小紳士，嘴裡講的英文與照顧他的保母或學校的老師都不一樣，而與這個學校的學生都一樣，可見孩子是和他的同儕一起社會化。她認爲小孩子並不是從大人那裡接受到他們的文化，因爲小孩子並沒有接觸到大人的社會，反而是所有的大人都曾經接受過小孩子的文化，因爲每一個大人都曾經是小孩子。小孩行爲像父親的原因是因爲他們都在同一個社區，被同一個方法社會化，假如地方改變了（如移民），小孩的文化就不會像父親的文化了。

哈里斯也舉出在聽覺正常的家庭中的聾孩子，進了聾啞學校後，行爲愈來愈像其他的聾啞生，而與父母愈來愈不同。雖然這是一個例外的情形，但是在生活周遭，我們到處可見到孩子從同儕團體得到社會化的情形，這就是爲什麼青少年要標新立異的原因，他的團體要想方法區辨自己與別的團體的不同，所以要盡量從同中求異，而他爲了要變成團體的一份子，也必須做附合這個團體的行爲。從這裡，我們看到李遠哲院長爲什麼會提倡「社區營造」的苦心，因爲社區正是同儕社會化發生的地方。

早在一九三〇年代，心理學家哈特甫就說過：「性格教育的正常單位是團體或小社區。」他發現在一個情境下很規矩的孩子，在另一個情境下就可能做壞事，孩子和父母在家中所學的道德，往往不能沿用到家門以外的地方。孩子若很不幸在家中有著不快樂的生活，如父母吵架、離婚，只要他在同儕團體中被接納、受尊敬，他一樣可以長大成爲一個正常的人。哈里斯甚至舉出在西藏長大的白人小孩麥斯頓，雖然他長得又高又白與西藏人不一樣，遭到西藏修道院中的同儕排斥，但是這並沒有阻止他社會化成一個西藏人，所以麥斯頓說他自己是一個「住在白人身軀裡的西藏人」。

因此，教改如果想要成功，除了從教育著手，另外還需要推動社區的改造，當我們使這個社區成爲我們理想中安和樂利的社區時，那麼住在這個社區中的孩子自然就社會化成爲一個祥和的好公民了。

我很喜歡這本書的英文名字 *The Nurture Assumption*（直譯爲「後天影響力的假設」），我們竟然信奉了一百年而不曾檢驗它基本的假設是否成立，這對念科學的我是多麼大的警惕。去年暑假冒著溽暑將它翻譯出來，如今仔細校對，力求完美，希望這本書能爲我們的教育界帶來一些新氣象。

這是一本令你重新思考過去無條件接受的教條的書。我們台灣的孩子一向服從權威，信服教條，不敢有自己的思想、自己的創意。這本書打破你過去的習慣，每一句話都挑戰你過去的信念，是一本應該細讀慢看、好好思考的書。爲人父母，爲人師長者尤其應該看。（原載於《教養的迷思》，譯序）

3 一個自閉兒的現身說法

一九四三年以前，沒有人聽過自閉症這個名詞，現在，幾乎所有的小學老師都聽過，而且社會上已有自閉症協會及各種支持團體，心理學家這方面的研究論文也有厚厚一大疊，這五十年的成就可以說是很不錯。但大部分人對自閉症的了解還是僅限於它是情緒障礙的一種。大家總是以爲自閉症的孩子活在他自己的世界裡，不和外人接觸，外人也無法攻堅。除此之外，頂多就是電影《雨人》（*Rain Man*）中達斯汀・霍夫曼（Dustin Hoffman）所代表的那個一眼就能辨認出散在地上的火柴有多少根的人。所以雖然我們都知道這個名詞，其實並不知道它確切的內涵。

因爲不知道它的內涵定義，所以父母就更加疑慮。許多母親

書名：星星的孩子
作者：Grandin & Scariano
譯者：應小瑞
出版：天下文化

憂心的抱著孩子掛門診，因爲孩子好像對外界事情不很感興趣，不太理睬別人，或是假如孩子到兩三歲還不會說話，家長個個心急如焚到處找醫師，生怕孩子是個自閉症的兒童。所以雖然我們是聽過自閉症這個名詞，但是大部分是以訛傳訛，一般人是望文生義自己去想像應該是什麼，小兒科醫師可告訴你許多令他們啼笑皆非的例子。比如說醫師診斷說不是，父母卻說隔壁的大嬸婆說很像她孫子的毛病！所以這方面的科普書的確很重要，可以讓父母、老師和社會大衆深入了解什麼是自閉症。

可惜的是，台灣市面上並沒有很多介紹自閉症的好書，更不要說自閉兒自己寫的心路歷程了，大部分自閉症的孩子智力都不高，不能清楚的把他們內在的感受說出來，或把他們的心靈敞開給外人看，使人們對自閉症更是抱著好奇或排斥的態度，不知道他們究竟是生活在怎麼樣的一個世界中。因此，這本自閉兒自己寫的《星星的孩子》，在增進世人對自閉症的了解上就特別有意義了。

從文獻中，我們知道大約有五%的自閉症兒童不但智力正常，而且在某些方面——如繪畫、音樂——更是超出常人，不過像本書作者天寶·葛蘭汀（Temple Grandin）博士這樣，念到博士並有專利發明則是奇葩，少之又少，這本書也因爲是唯一的一本自閉兒的自述而更顯珍貴。尤其是最後一章「破繭而出」更是令人欣喜。你會感到苦盡甘來的快樂，也讓天下自閉兒的父母不放棄希望，繼續堅持下去。在書中，你到處感到天寶母親對她的愛與支持，當天寶在學校與人打架或闖禍被勒令退學時，只有母親開著車到處找學校讓她唸。她母親寫給精神科醫師的信也非常令人感動，天寶有今天的成就，得以破繭而出與一般正常人一樣的過日子，享受人生，母親功不可沒。

我也認得一位自閉兒的母親，她和天寶的母親一樣的偉大，她的兒子不肯開口說話，眼睛不肯看她（許多自閉症的孩子不肯與別人的眼睛接觸），所以這位母親就從餵飯開始教他發音，因爲餵飯時，孩子的頭一定要抬起來，她就強迫孩子與她眼睛接觸，當孩子嘴巴張開來吃飯時，她就說「啊——」然後把湯匙放進孩子的嘴裡，當她把湯匙抽出來，孩子嘴巴閉上時，她就說「m——」，這樣連續奮鬥三個星期，做了幾千百次這個動作之後，小孩子終於看著她說「Ah……Mm……Ah……媽」學會叫媽媽了。一個普通孩子很輕鬆、很自然的就會叫的「媽媽」這兩個字，竟然花了這位母親三個星期才教會。但是這個辛苦也是有代價的，這個孩子克服了不願意說話的心理障礙後，已經慢慢從自閉症的繭中走出來，目前已「回歸主流」在普通班上課了。

在這裡，我們再次看到信心與毅力創造出來的奇蹟，自閉兒是可以說話可以進步的，只要你鍥而不捨的教育他。在書中天寶說到因爲她的連續尖叫使得她母親分神而發生車禍，值得慶幸的是撞車這個驚恐的經驗反而使她原來的抑制暫時去除，她變得連續不斷的重複講同一個字。所以自閉兒是可以說話的，但是平時卻不愛說話，因爲他們沒有感到溝通的必要。

有輕微自閉症的人常說話不得體，他們最欠缺的就是社交的敏感，不了解別人是開玩笑或是說眞的，常以字面上的意思行事，這點天寶在書中有許多精彩的描述，不是親身經歷的人是不會了解這種痛苦的。

對自閉症大家最好奇的可能就是所謂的「白癡的天才」(idiot savant)的事蹟。前面說過，大約有五%左右的自閉症兒童有異於常人的音樂、美術或數學能力。一九九八年十月，美國一位眼盲的自閉症音樂家Tony DeBois應邀來台灣演奏，他不會看譜，但是有絕對的音感，他腦海中記存了幾千首的歌，可以接受觀衆即席的點唱。他的母親也是他的經紀人，在演奏會之前先講了一段Tony成長的過程：二十七歲時Tony的智力被鑑定爲只有十歲孩子的程度，母親靠音樂（鋼琴）把他從自閉症的繭中引導出來。Tony也學了小提琴，但是學小提琴的目的卻是爲了教他刷牙，因爲刷牙的動作和小提琴拉弓的動作相似，因此，利用Tony喜愛的音樂，媽媽教會了Tony刷牙。

在這本書中的第十二章中，天寶也寫到，留意你的孩子對什麼有興趣，並抓住他的喜好傾向，把它轉移到對他有利的其他途徑去。這點正是Tony的母親帶著Tony到處旅行演奏所要傳達的訊息：「不要放棄你的孩子，利用他的興趣，借力使力。」兒童（包括自閉症的孩子在內）不是一成不變的，即使兩年前專家告訴你說「不必費事了，你的孩子不能做」，你仍然不要灰心，要繼續觀察，因爲兩年前不會的事，兩年後可能就會了，孩子不就是這樣成長的嗎？因爲我先前和 Tony 的母親有過一番深談（Tony 的演奏會就是我們陽明大學主辦的），所以我現在看到《星星的孩子》中，天寶對自閉兒父母的忠告，想起 Tony 媽媽的艱辛誘導，真的有很深的感觸。

天寶一再說她對聲音很敏感，環境中的噪音常把她逼到發狂的地步；但是反過來思考，我們目前生活中的音量分貝是否太高了些？爲什麼中國人的餐館那麼嘈雜，音量都在一百分貝以上，即使對面坐，若不是嘶喊就聽不見，我們爲什麼一定要這樣嘈雜？看到噪音對自閉兒精神狀態的影響，難道這不值得我們好好的反省嗎？自閉兒對觸覺很敏感，所以他們不要別人摸、接觸，但是我們應該可以利用這個敏感的觸覺打開他們學習之門，就好像 Tony 的母親利用音樂打開 Tony 學習之門一樣。

天下事是事在人爲，《星星的孩子》、Tony 的故事都給我們的很大的啓示，願天下的自閉兒都能和天寶和 Tony 一樣，找到他們的長處，利用它，破繭而出。（原載於《星星的孩子》，序）

4 探索嬰兒的內心世界

在台灣，很多人都不了解心理學是什麼，只從字面上解釋，誤以為是相面算命的，完全不知道它在國外已是一門有嚴謹實驗法，專門探討心智與行為的科學。其實心理學對科學最大的貢獻在方法學上，對於宇宙萬物凡是有生命的東西，不論會不會說話，它都能提供一個很好的研究方法，以了解有機體內在與外在環境的交互關係。

《我家寶寶是天才》這本書就是應用心理學的研究法，對嬰兒內在世界作一番探討的一個很好的例子：面對尚不會說話的寶寶，心理學家利用「習慣」（habituate）的動物特性（即對一個一直出現的熟悉刺激，動物會逐漸失去興趣，但是一旦刺激改變，牠的注意力

書名：我家寶寶是天才
作者：Acredolo & Goodwyn
譯者：羅雅芬
出版：新手父母

會立刻上升。由此，我們可以推論動物是否可以察覺刺激的改變），將嬰兒的內心世界剝繭抽絲一點一滴的呈現給世人看。

對於嬰兒，尤其是如何教養嬰兒，我們的資訊很少。在過去，我們都誤以爲剛出生的嬰兒是張白紙，一點能力都沒有；更因爲他們沒有表達能力，便以爲他們無法學習。其實這是大錯特錯的，目前科技的進步，讓我們看到嬰兒一出生接受各種感官訊息的能力都有了，例如出生四小時的嬰兒聽力就很敏銳，能夠分辨聲音的來源（他會把頭轉向出聲的那一邊），他會喜歡母親的聲音，因爲他在母親肚子裡時就已經能夠聽到母親的聲音（胎兒七個月聽力就完成了）。

但是對科學的解釋要謹慎，目前市面上所謂讓胎兒學英文的錄音帶是無用的，因爲水的傳聲速與空氣傳聲速度不同，訊息會扭曲，同時子宮中是個很嘈雜的環境，有母親心跳聲、血液流過血管的聲音等等，嬰兒是聽不清楚每一個英文字的。嬰兒會一出生就喜歡自己的母語，那是因爲他已熟悉母語的句調，以及母親聲音的基本頻率（fundamental frequency），假如我們把母親講話的錄音帶倒著放，嬰兒就不喜歡聽了，雖然聽到的仍然是母親的聲音，但是句調被破壞，熟悉度消失，他就不喜歡聽了。因此對於實驗的解釋必須很小心，不能斷章取義，只取有商機的一段來看。

這本書帶給我們很多新觀念，尤其是第五章，作者亞奎多洛和古德溫（Linda A. Acredolo

& Susan Goodwyn）強調不會說話的嬰兒也有溝通的需求，建議父母在嬰兒能夠開口說話前，先用手語與嬰兒溝通，減少他們因別人不懂得他的需求而大發脾氣的機會。同時作者也指出手語可以幫助孩子智力的成長，加速說話的學習，而且他們十六年研究的結果顯示，先教手語完全不會延緩孩子學習說話的速度，更沒有學了手語就不去學口語的顧慮。這一點，我多麼希望台灣的教育者能了解。多年來，我一直努力說服台灣的父母和老師，聾啞生與正常人一樣有與人溝通的需求，我們應該及早教他們手語，使他們的智力和情緒可以正常的發展。在這裡，作者和我的看法完全相同，他們的實驗爲我的看法提出強有力的支持，也是我覺得這本書不但父母要看，教育者也一定要看，尤其是每天和孩子接觸的小學老師，更要知道孩子大腦的發展與智慧成長的關係，才能設計出最好的教案以引導學生入門，達到因才施教的最高教育目的。

本書提出許多非常好的點子把教育落實在生活之中，讓父母在不知不覺之中把知識、觀念傳給孩子。例如，本書教你如何作親子閱讀，親子閱讀絕不是你念給他聽而已（如果是這樣，市面上有賣各式各樣的錄音帶，父母大可以買了放給孩子聽，自己去看電視）。親子閱讀時父母要引導孩子思考、問問題，所以書中舉了很多父母自問自答的例子，告訴父母當你每次這樣做時，你的孩子會自然而然的養成問「爲什麼」的習慣。這種閱讀方式使得同一本書，每次閱讀時所獲得的知識是不同的，無形中也讓孩子了解知識的多面向。

親子閱讀最好的地方是它很溫馨：孩子坐在父母的懷裡，既溫暖又安全，在一個完全放心的環境裡，他的想像力可以隨著你的聲音飛揚無遠弗屆。從一九五〇年代哈洛的猴子實驗中，我們看到一隻一出生就被剝奪母愛的小猴子，會整天黏在絨布母親的懷裡而不會去鐵絲網做的母親身上，雖然鐵絲網的母親身上有奶瓶，可以充飢。我們了解到有奶不是娘，有愛才是，俗語說的「有奶便是娘」是不對的。兒童最大的需求是安全感，不是進口的高級餅乾糖果。同時我們也看到不正常長大的猴子，牠的行爲是不正常的，牠無法正常的交配，如果用人工受精的方式使牠懷孕生下第二代，牠也會把小猴虐待致死。

所以給孩子一個溫馨有愛的家庭，是父母給孩子最好的禮物。如果你有一個溫暖的家，絕對不要怕你的孩子會輸在起跑點上，因爲在溫暖、有安全感的家庭長大的孩子，他的心智情緒發展是正常的，他可以面對挫折、打擊而不會退縮，因爲他知道有家庭作後盾，他會有勇氣。這是父母給孩子最好的禮物——一個健全的人格。

人是演化來的動物，從演化的觀點來說，孩子的成功才是你的成功，因爲你的基因傳了下去。聰明的父母，花點時間陪伴你的孩子成長吧！他是你一生最有價值的投資，值得你用全部的心力保護他。如果你不知道該怎麼做，這本書就是你的指引。（原載於《我家寶寶是天才》，推薦）

5 生育與養育

《小腦袋裡的秘密》是本難得一見的好書，使我愛不釋手。它有科普書的易讀，又有教科書的嚴謹，裡面談論的議題都佐以實驗的證據，用實驗數據讓你自己下判斷，這是最有力的說服者。每章的開頭都以生活上父母會碰到的例子激發你的共鳴，使你迫不亟待想知道作者如何解決這個問題。

本書帶給我們的新知，對迷信的台灣社會是個當頭棒喝，例如第四章分娩造成的影響中，清楚的告訴我們自然生產時，大腦會分泌大量的兒茶酚胺（catecholamine），使胎兒心跳減慢，呼吸變緩，將別的動作停止，只維持腦與心臟這兩個最重要器官的血流量，使胎兒在暫時缺氧的情況下，大腦細胞不受傷害，不會死

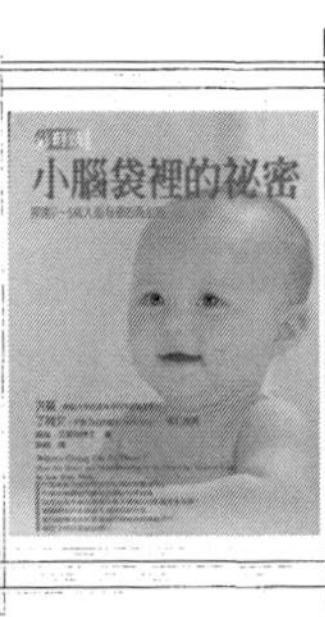

書名：小腦袋裡的秘密
作者：Lise Eliot
譯者：薛絢
出版：新手父母

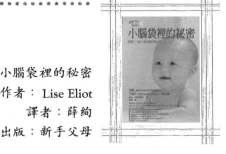

亡。這個比平常人高二十到一百倍（依生產的艱難情況而有不同）的兒茶酚胺，在出生後兩小時才回到正常濃度，讓嬰兒有足夠時間適應新的環境。同時，胎兒經過產道時，受到擠壓，可將他肺中的羊水擠出（高濃度兒茶酚胺也可幫忙將肺中羊水釋出），有益於胎兒即將面臨的第一口自己的呼吸（胎兒在母親的肚子中不會自己呼吸，是靠臍帶將所需的氧氣與養分，從母體帶來並將廢物帶走），所以自然生產的嬰兒，比較不會在出生後頭幾個小時出現呼吸方面的問題。

曾經有個有研究比較經過陣痛後才開刀取出的嬰兒，與沒有陣痛直接開刀取出的嬰兒，結果發現前者的表現比後者好。因此，我們台灣流行的「擇吉日」生產就沒有什麼道理了，同一個時辰出生的人不知有多少，不可能每一個人都有同樣的命，命運應該是掌控在自己手中的。為了選時辰，不讓孩子自然生產，其實是愛他反而害他，相信生辰八字的父母，應該好好的看本書。

另一件我們常見的現象就是，很多父母都不讓孩子吃糖，因為對牙齒不好，會影響食慾等等；但是小孩子就是特別喜歡吃糖，等他長大有了自主權反而不愛吃了。人類天生喜歡吃甜的，原來糖分會帶給你體力，提昇你心情的愉悅，一個從來沒有吃過糖的胎兒如果在羊水中打了甜素，他吞的就比打其他口味的羊水來得多。人類許多口味的喜好來自懷孕時母親的飲食的影響，難怪四川的娃兒從小就能吃辣椒。了解這一點，或許父母不要太苛責孩子不肯吃青豆、包心菜、胡蘿蔔，回想一下，你自己是否也不吃呢？其實讀完這章，我有點感嘆，小的時候很愛吃糖，但是台灣那時經濟窮困，沒得吃，現在長大買得起了，卻一點慾望也沒有，人生還是得「有花堪折直須折」，有時事過境遷，縱使再來一次，心情的感覺也不一樣了。

書中提到母乳的好處，講得非常中肯。科學再進步，仍然不能配出母乳的成分，因爲母乳不僅僅是營養素、維他命及礦物質，它還有很多的酶、免疫因子、荷爾蒙、生長素及許多我們還不知道的東西，所以母乳能夠幫助嬰兒吸收營養、抵抗感染、促進發育。母乳的微妙性就好像羊水。我們可以做出試管嬰兒，卻無法在試管將嬰兒養大，還是得植入代理孕母的子宮中，因爲科學再進步，仍調配不出羊水的成分，而羊水中荷爾蒙些微的差異都足以影響胎兒的發育（最顯著的就是雄性荷爾蒙出現的時間和劑量會影響胎兒的性別偏好）。

另外，我有看到母親買脫脂或低脂奶粉給嬰兒吃，因爲這個社會崇尚瘦，母親從小就不給孩子吃有脂肪的食物，希望她們長大以後身裁窈窕去選中國小姐。但是母親忽略了神經的發展其實非常需要脂肪，尤其是神經外面包的髓鞘，基本上就是髓磷脂（myelin），髓鞘可以幫助神經的傳導，使電流不短路，是個非常重要的物質，不能爲了窈窕身裁而犧牲神經的發育。

先天和後天孰是孰非，在激烈辯論幾千年後，現在終於有了一些定論，基因和大腦科學的研究讓我們知道先天和後天各占一半：基因決定大腦的結構，後天經驗決定神經之間的連接，就好像大樓的隔間是基因決定的，但是每戶人家的裝潢是後天經驗決定的。因此雖然每個人都有大腦、中腦、小腦，皮質都有四個腦葉，就像大樓每戶人家都是三房二廳，但是裡面的擺設不一樣，而擺設讓你知道你是到了張三家還是李四家，它才是辨識屋主的特徵。

作者艾略特（Lise Eliot）用的比喻是旅行，基因把你帶到目的地的機場，但是到那裡以後，該怎麼玩，那是每個人各顯神通，看自己的本領，自己決定。同樣去大峽谷旅遊，每個人玩的經驗卻不一樣。了解這一點，父母就不必太憂心，不論先天或後天，你都有一半的機會補正，父母應該放寬心享受上天給你的福賜，相信看完這本書，每一個人都會認爲孩子是上天的福報，是生命的奇觀。

我們從一個小小受精卵長大成改變世界的人，這過程眞是令人嘆爲觀止，不得不承認生命是一個奇蹟。了解到腦的發展，自然也對笛卡兒的心物二元論的爭論有所定論。人不是天生一張白紙，洛克（John Locke）的經驗主義顯然是不對的（請參閱書中對聽覺、視覺、嗅覺的實驗證據），但是大腦有很大的可塑性，後天經驗明顯的影響我們的行爲。這本書就是希望父母在了解了大腦發展的過程，學習經驗與神經連接的關係後，知道該如何教養孩子，幫助他把長處發揮出來。

書中一再強調每個孩子不一樣，因此不可能有放諸四海皆準的法則，像食譜一樣讓你照著做，但是教養孩子的原理是一致的，就是尊重上天給你孩子的天賦，努力使他對這個世界作出貢獻。這個貢獻可大可小，依天賦不同，但是一個人一生必須對世界有所貢獻才不會虛度此生。貢獻的定義應該不是世俗的金錢標準，而是這個孩子的人生觀定義，看他願意成為什麼樣的人，爲這個世界留下什麼痕跡。因此，父母教育孩子的態度應該是「天生我才必有用」，給他信心幫助孩子找出他有用的地方，在他的長處上對人類作出貢獻。能做到這一點，就是父母對孩子最大的貢獻了。（原載於《小腦袋裡的秘密》，推薦）

6 不要把子宮變成教室

不久以前，一位香港的朋友來台北開會，在包烤紅薯的舊報紙上讀到我們內政部要以三萬元一個嬰兒的金額鼓勵生育，「太低了！」她一邊啃紅薯，一邊搖頭：「我們香港的幼稚園一學期的學費比香港大學醫學院的還貴！三萬元怎麼夠？連去幼稚園睡午覺都不夠！」我自己在醫學院教書，知道醫學院的學費是所有學校中最貴的，而且全世界皆如此。幼稚園怎麼敢收這麼貴的學費？小孩子爲什麼要上這麼貴的幼稚園？理上說不通，因此沒有把她的話放在心上。

想不到最近有幾個早年教過的學生來看我，談到近況，居然全都在幼兒英語補習班教英文，還對我說多謝我當年強迫她們用

書名：天才父母瘋狂兒童
作者：Ralph Schoenstein
譯者：譚家瑜
出版：天下雜誌

英語上台報告，使她們在面試時擊敗他人，奪得這些「錢多事少離家近」的工作，每天陪小孩子唱英文兒歌。我這下才了解事態的嚴重。我們這個自古主張小孩有耳無口的東方，已經走到美國幽默作家雷夫・熊斯坦（Ralph Schoenstein）在《天才父母瘋狂兒童》中所描述的西方狂熱世界了。難怪朋友的孩子一出生就要求戶口報到我家，原來要設籍六年才可以進我家學區的雙語國小附設幼稚園。眞是人無遠慮必有近憂，現在的父母也太難爲了。

我覺得這種爲孩子打拚的風氣不可長：第一，它使父母疲於奔命，完全喪失養育孩子的樂趣。第二，它剝奪孩子的童年，使他們過早的進入殺戮戰場。「一切爲贏」，有這個必要嗎？所以我很高興《天下》雜誌把這本亞馬遜網上的暢銷書翻譯成中文，以饗讀者。這本書像一面鏡子，可以讓許多父母看到這種千方百計要把孩子送進耶魯大學（或其他長春藤學校）的錯誤，這完全是滿足父母虛榮心的揠苗助長行爲，讓孩子還沒有長大就住進精神病院。

我最欣賞這本書的是他以幽默的語氣講嚴肅的大道理，使你在大笑之餘，心中暗想：這是不是在說我？例如他描寫波士頓附近有個幼兒心理復健中心，叫做「快樂瑜伽」，專門幫助孩子放鬆神經細胞，最年輕的學生只有兩歲。你看了會不由自主的想：兩歲的孩子話都講不清楚，怎麼需要心理治療來放鬆神經？他們的神經根本還沒有發展完成呢！

但是當你看下去，可能一邊覺得好笑，一邊從不可思議中產生警惕：的確，如果我們像「幼兒潛力開發學校」、「聰明起步學習中心」那樣的逼迫孩子在襁褓時期就要學習英文字母卡、背九九乘法表、下西洋棋的話，他們的確需要心理復健中心的幫助。請注意，這些潛力開發學校的中心教條是「不要因爲三個月大的寶寶無法說話就不和他討論歷史，寶寶六個月以前可以和他討論時事，寶寶一歲半以後可以訓練他對話式的閱讀」。天啊！如果父母這樣做，兩歲的孩子眞的會精神崩潰，「快樂瑜伽」可能救不了他，他必須住進正規的精神病院，每日服用百憂解（Prozac）、利他靈才活得下去。

我們現代的父母是怎麼回事？孩子天生就是要玩耍的。小孩子在遊戲時可以培養領袖氣質、團隊精神、學習人際關係；他單獨玩時也可以培養獨立、自信、想像力和語言能力。孩子在獨自玩耍時，都在自言自語的說故事，作角色扮演。我兒子一歲半時可以坐在地板上一手拿「壞人」、一手拿「好人」大戰三百回合，嘴裡各式對白、機關槍、大砲各種音響配音一應俱全，如果你仔細聽，他編的故事還有模有樣呢！這才是一個小孩子該花時間的方式。

我非常贊同作者說的：「對一個一到兩歲的幼兒來說，最理想的師生比例是零比一。」在美國念神經發展時，有一位教授說：「不要想去主導孩子的前途，他們是屬於未來（They belong to tomorrow.），而你已經過去了。」看到今天父母如此的壓縮孩子的童年，不禁使我想到他的話，令人感慨。

從神經的發展來看，沒有輸在起跑點上這回事。孩子的神經一直要長到青春期才逐漸定型，大腦有很大的可塑性，即便是成年後大腦才受傷，復健都還有某種程度的功效，更何況大腦的聰明與否不是一個人成功的必要條件，樂觀進取才是最重要的。童年是人一生最可貴的快樂時光，不要強迫他早熟，沒有「任何新生兒都具備愛因斯坦（Albert Einstein）的潛力，等六歲再開發就來不及了」這回事。更何況，如果每一個人都做愛因斯坦，我們吃什麼？穿什麼？誰來做這個社會必要的其他事？不要把子宮變成教室，把孩子做爲滿足你虛榮心的工具，如果你眞的爲他好，請把他應有的童年還給他。（原載於《天才父母瘋狂兒童》，序）

7 幼兒語言學習的機制與奧秘

人世間最大的奇蹟我覺得不是征服太空、不是登陸月球，而是嬰兒居然無師自通，學會說話，而且學得如此不費吹灰之力，如此之好。我們只要回想一下自己在國一學英文時的痛苦，就會驚嘆這麼小的嬰兒，智慧未開，沒學過文法的主詞、動詞，竟然能把一種語言掌握得這麼好，說出大人從未想過可以這麼說的話來，令所有大腦科學家都想知道，嬰兒小小的腦袋究竟是怎麼辦到這麼艱難的工作的。《小小孩，學說話》這本書，就是從科學實驗的角度探討零到三歲幼兒語言學習的機制與奧秘。

過去坊間的書在談到語言的習得時，多半從現象著手，告訴你幾個月大的孩子可做什麼樣的事，說幾個字的句子。不像這本

書名：小小孩，學說話
作者：Roberta Michnick Golinko
譯者：黃淑俐
出版：信誼基金

書這麼有深度，它除了告訴你現象，更詳細描述實驗，告訴你科學家是如何從數據中推論到嬰兒的能力。數據使得人們不迷信、不盲從，父母可以自己判斷眞僞並且學會在家中如何觀察自己孩子的成長，分享成長的喜悅。因此，本書很特別的一個地方是在每一章的後面有一節「試試看」，讓父母體驗一下書中所描寫的情節，了解生命的神奇與可貴。只有親身經歷孩子成長變化的人，才會感受到造物者的力量與大自然的奇妙，才會對一個生命由衷的產生敬畏愛護之心。

因爲嬰兒不會講話，因此，要推測嬰兒大腦中的運作就需要非常多的創意實驗。我自己覺得心理學對科學領域最大的貢獻在實驗法上，而實驗方法中又以嬰兒能力的實驗最具創造力。書中有詳細談到好幾個經典之作，令人佩服實驗者的智慧與超人的觀察力。

由於語言是開啓智慧的鑰匙，因此父母特別在意孩子學話的快慢（另一個父母之間常比較的是孩子走路的早晚）。其實，說話的快慢與智慧的高低並沒有直接的關係。許多有名的科學家說話都很晚，愛因斯坦、愛迪生（Thomas A. Edison）、羅素（Bertrand Russell）都是很好的例子。它與基因有關係，父母開口說話的時間常會反映到孩子學話的速度上，既然自己很晚才會說話並沒有影響到本身的成就，爲什麼要斤斤計較孩子說話的早晚呢？

這本書提出很多正確的觀念，減輕父母許多無謂的困擾，尤其重要的是，它從演化的觀點看人類心智的啓發，將一些坊間錯誤的觀念做了很好的釐清，告訴你只要是個正常的腦，有溫暖的家庭環境、正確的教養觀念，你的孩子就會有大好的前程，光明的未來，不必擔心輸在起跑點上這回事，更不需要花大把銀子去補習，開發他的右腦，因爲孩子左右腦本來就是一起成長的。

當我們送孩子去補習時，其實是剝奪了我們與孩子相處的時間。這本書告訴你，沈默絕對不是金，親子時間是孩子成長最重要的時間，你的價值觀、人生觀會在你與孩子互動時不知不覺的傳遞給他，影響他以後待人處世的原則。美國密西根兒童醫院的柴加尼醫師從腦造影研究中發現幼兒情緒開啓的窗口時間很短，安全感與自信心是父母給孩子最好的禮物，不是會動的機器人或遙控車，更不是山珍海味或華廈。看到現在社會的亂象，很感嘆現代人在追求生活享受中迷失自己，忘記了所謂的成功，從演化的觀點來說，只有孩子的成功才是自己的成功，因爲基因得以延續下去。

這是一本難得一見的科普書，從科學的角度正確的看待嬰兒語言的發展，值得父母好好細讀。（原載於《小小孩，學說話》，推薦）

8 引導孩子走出情緒的風暴

二十一世紀才剛開始，它展現出來的面貌就是負面的，科技的進步縮短了地理上的距離，卻沒有縮短心理上的距離，人反而更不快樂了。《中國時報》在過年時作了一份調查，請人民以一個字描寫去年的生活，結果出線的頭三名爲亂、苦、茫。高憂鬱症、精神疾病罹患率及自殺率，使得挫折容忍度再度成爲社會討論的熱門話題，《培養小孩的挫折忍受力》這本書的出版可以說是及時雨，讓許多輔導人員及父母知道該怎麼引導孩子走出情緒的風暴，導回學習的正途。

本書的兩位作者布魯克斯（Robert Brooks）和戈爾茲坦（Sam Goldstein）博士皆爲資深心理醫師，在臨床方面有豐富的經驗。

書名：培養小孩的挫折忍受力
作者：Brooks & Goldstein
譯者：馮克芸・陳世欽
出版：天下雜誌

本書的編排有點像食譜，即把同一類型問題歸類在一起，詳細介紹個案歷史，再列出恰當的輔導方式，使父母或輔導人員可以依孩子的行爲按圖索驥，尋求有效的輔導指引。雖說美國的國情文化與我們有些不同，但是孩子就是孩子，他們在成長過程中所面臨的問題其實都差不多，尤其是天下父母都是一樣的望子成龍、望女成鳳，所以書裡描述的個案情形竟是出奇的熟悉，每一章裡描述的行爲你都遇見過，也讓你覺得「相見恨晚」，自己孩子小的時候若有這本書就好了。尤其第四章「改變教養語言，改變負面腳本」，特別值得我們的父母老師細讀，因爲我們台灣的問題也是在此。

有一個笑話，老師上課時朗誦一首詩請學生聽寫，老師念的是「臥春」，學生聽成「我蠢」，老師說「暗梅幽聞花，臥枝傷恨底，遙聞臥似水，易透達春綠，岸似綠，岸似透綠，岸似透黛綠。」，學生聽寫成「俺沒有文化，我智商很低，要問我是誰，一頭大蠢驢，俺是驢，俺是頭驢，俺是頭呆驢。」捧腹之餘，我們不禁心酸的看到，學生習慣的對自己有負面評價。

中國人喜歡說「恨鐵不成鋼」，用它來掩飾對孩子的打罵有理。但如果孩子不是鋼，打死了也不會使孩子變成鋼，卻會把孩子「恨」進精神病院。父母應該找出孩子的長處，鼓勵他發展長處，而不是送去補習班「補強」，一直強調他不好的缺點。這種著重「缺陷」的思維方式，是今天孩子沒有挫折容忍力的最大原因，因爲他們對自己一點信心都沒有，動不動就自我放棄，覺得我就是這塊料，再努力也沒用。

書中提到當作者請學生說出他自己的長處時，孩子都垂頭喪氣的說自己沒有任何長處，直到問第三遍時，孩子才勉強找出一個，然後，臉色逐漸開朗起來，因爲他慢慢想到自己還有一些特殊的地方，不是那麼的一文不值。在最後一章中，作者一再強調父母不要成爲《愛麗絲夢遊仙境》(*Alice in Wonderland*) 中的「紅心皇后」(The Red Queen)，因爲愛麗絲怎麼做都趕不上皇后的命令。所以不要讓孩子覺得做得愈多，父母的要求愈多，自己永遠達不到父母的要求，最後認爲自己是個失敗者。

我覺得台灣目前的亂象有一部分是當年實施能力分班，把一些智慧開竅開得晚的人貼上後段班的標籤，使他們在學校和家庭過著抬不起頭來的生活。這種心靈的殘害使很多孩子自暴自棄，心中充滿恨。作者舉了一個例子，同一個酗酒家庭出來的兄弟二人，哥哥因爲碰到一位賞識他的足球教練，對他有信心，鼓勵他成爲足球校隊，使他後來拿到足球獎學金進了大學；而弟弟沒有這個運氣，沒有遇見一個賞識他的人，沒有發現自己的長處，後來成爲中輟生，進出監獄多次，多種惡習上身，成爲人見人惡的無賴漢。兄弟二人的差別在於哥哥的生活是有希望的，他相信明天會比今天更好；而弟弟沒有，過一天算一天。

今天，我們的年輕人最大的痛苦便是生活沒有希望，八四%的人不認爲明天會比今天更好，這是一個驚人的數字。如何培養孩子的挫折忍受力，使他能面對二十一世紀的挑戰，就變成現代父母育兒的寶典了。

如果你希望孩子快樂成長、有抗壓性，這本書你要看。（原載於《培養小孩的挫折忍受力》，推薦）

9 人的知識從哪裡來？

在國外教書與在國內教書感覺上最大的不同，在於我們的學生對於哲學上的基本問題一直都興趣缺缺。換句話說，我們的學生現實、急功近利，對眼前無關考試、分數、就業等的問題，都不願花腦筋想。有一個笑話，一位外國教授到中國短期講學，他覺得中國的學生都很用功，就是上課太安靜，沒有反應，雖然他一再鼓勵學生發問卻都沒有結果。有一天他終於忍不住了，想了一個技巧在課堂上就胡說八道起來：「貓是狗生的」，「一加三等於五」……。講完之後，終於有人舉手發問了，他非常高興，就請那位同學起來講，只見那位同學怯生生地問：「請問教授，這個要考嗎？」這雖然是一個笑話，卻值得我們深思：我們的學

書名：天生嬰才

作者：Mehler & Dupoux

譯者：洪蘭

出版：遠流

生對知識論不知也不想知。

事實上，「人的知識從哪裡來?」這個問題在西方已經辯論了幾千年，從亞里斯多德（Aristotle）開始，到洛克與康德（Immanuel Kant），這一直是最引起爭論的一個議題，經驗學派與天賦學派都在學界各領風騷數百年。但是最近因爲實驗技術的改進，我們終於可以測試剛出生嬰兒的各種感官反應，從他們的各種反射反應中一窺他們的內在認知世界。這一方面的研究，我國做得非常少，甚至可以說是零。（這不禁使人聯想到：學生、學生、「學」習先「生」，「學生」的態度是否反應出「先生」的想法?）要提昇我國的科技，其實要培養腳踏實地、從根本做起的精神。科技可以抄近路（short cut），但是科學無法。這幾十年來，我們從日本與新加坡的例子可以看出，他們不重視基礎研究的結果是：他們有技術卻沒有使技術昇華的理論。

理論上，嬰兒的認知世界研究回答了一個哲學上爭論不休的基本問題；實用上，它使坊間的一些不實廣告不攻而破，這些準父母不必花大把銀子購買一些無用的胎兒教育器材了。其實這些準父母只要頭腦稍微一想就不會上這些不肖商人的當了。若是每個嬰兒都因媽媽在懷孕期間天天盯著牆上的電影明星相片看，而生出來像電影明星的話，那麼這一百多年來的遺傳學研究豈不都白做了?至於在懷孕期間教胎兒語言，諸位只要把頭埋入盛滿水的臉盆中試著分辨外界的聲音，就會知道要叫浸在羊水中的胎兒學語言是多麼的不切實際了。

《天才嬰兒》這本書是法國心理學家傑柯・梅勒（Jacques Mehler）的一本暢銷書，寫得深入淺出，文筆流暢，雖然裡面有許多實驗，但是實驗過程介紹得很清楚，使人一看就懂。我覺得這本書最好的地方在於它不僅僅陳述一個事實，告訴你嬰兒可以做或可以知道些什麼，更將支持的實驗一一道來，讓讀者從這些實驗中自己得到結論，我想科學教育的眞髓就在這裡。

梅勒博士目前是國際性期刊《認知》（*Cognition*）的主編，他本身就是一個謹愼小心、一絲不苟的研究者，這近十年來的主編工作使他站在學術的最前鋒，看得更深、更遠。他的前瞻性在這本書中表露無遺。一九九三年我去巴黎，在他家作客，吃他親手燒的法國佳餚，臨行之際，他送這本書給我，在地鐵上，我被這本書吸引得幾乎忘了下車，決定回國後把它翻譯出來，以饗讀者。

多年前，遠流出版公司的負責人王榮文先生，把他珍藏的《大戲考》送給我，信封上寫著：「寶劍贈英雄。書，送給有用的人。」這套書連信封我都珍藏著。今天我也是以同樣的心，將這本有用的書分享給天下人。（原載於《天生嬰才》，譯序）

10 有愛才是娘

一九五六年，哈洛做了一個至今仍被教育心理學家廣爲引用的實驗：他讓一隻小猴子從出生起就與母親隔離，在實驗室中單獨長大。哈洛給這隻可憐的小猴子兩個媽媽，一個是鐵絲網做的母親，身上有個奶瓶，另一個是法蘭絨布所做的母親，身上沒有奶瓶。他想知道什麼是親子關係的要素，結果發現小猴子除了肚子餓要吃奶時才會去找鐵絲網的母親，其餘的時間都緊緊的依偎在絨布母親的身上，顯示「有奶並不是娘」。給牠吃、餵飽牠並不能使小猴子親近母親，願意花時間和她在一起。

爲了確定小猴子對這兩個母親的偏好，哈洛將一隻玩具熊放進小猴子的籠子裡，這隻小熊背後有發條，當發條上緊時，它會

書名：從〇歲開始
作者：天下編輯
出版：天下雜誌

咚、咚、咚的打鼓前進，發條鬆了，它就自然停住。小猴子因爲從來沒有見過這隻小熊，又因爲小熊會發出巨大的噪音，嚇得牠雙手抱頭，躲在絨布媽媽的懷裡，閉著眼睛不敢看，當發條鬆掉，鼓聲停止，小熊站立不動之後，牠才開始慢慢鬆下護著眼睛的雙手，偷看著小熊（演化使我們知道一個靜止不動的東西是不會加害我們的）；然後，一腳勾住絨布母親的身軀，一隻手向外伸出開始慢慢的向小熊的方向探索。

哈洛放小熊進去的目的是，他知道人在緊急時第一個想起來去求援的人是最親密、最信賴的人，所以小猴立刻跑回絨布媽媽的身上，表示絨布媽媽是牠最依賴、最相信的媽媽，而不是有奶但是冷冰冰的媽媽，顯示心靈的慰藉遠勝於肉體的需求。

這個經典的實驗影響深遠，它讓我們知道安全感才是孩子心中最渴望的東西，不是表面的物質享受。有奶並不是娘，有愛才是娘。對孩子來說，母親的懷抱是最溫暖、最安全的地方，是任何金錢、任何高級玩具所不能取代的。這個實驗還有一個重要的啓示，就是這種隔離長大的猴子是不正常的，牠個性孤僻，不合群，躲在籠子的角落，不與其他的猴子交往；成年時，牠無法與公猴交配。在哈洛以人工授精的方式使牠生下小猴時，牠會把親生的小猴虐待致死，童年的無愛使牠無法成爲一個正常的母親。這個實驗讓我們看到幼兒教育的重要性，而且最重要的是，它強調的是心靈上的安全感而不是物質上的豐裕。

從神經發展上來說，一個嬰兒生下來就已具備他一生所擁有的一兆（10^{12}）神經細胞，但是他的頭顱只有成人的四分之一大而已，在往後的歲月裡，他的大腦非常的忙碌，要將神經外面包上髓鞘，使電流可以快速的傳導不會短路，同時要將曾經同步發射的神經元聯成網，又要將沒有與別的聯成網的神經細胞修剪掉。在這個發展的過程裡，幼兒與外界的互動經驗正是決定神經元會不會被修剪掉的命運，神經網路愈密集，訊息的傳達愈快速，也愈能觸類旁通，舉一反三。這個觸類旁通、舉一反三，不正是我們所謂的創造發明嗎？將兩個不相干的東西聯在一起，找出第三個新的用途，不就是人類文明進步的原動力嗎？

對一個自己還不能自主走動的嬰兒來說，父母正是幼兒接觸外界最好的媒介。透過父母呵護，幼兒的腦急速的發育，一個神經元可以有一千個以上的連結，使得三歲兒童腦神經的連結高達一千兆，爲成人的二倍，這種情形一直到九、十歲以後才大量削減，因此在童年期的經驗對神經網路的形成與保留就非常的重要，但是這裡強調的是「正常」的親子關係。只要正常，大腦便可以充分的發展，不需要送孩子上補習班或加強班。

事實上，促進大腦發展、增進親子關係最好的方法便是親子閱讀。因爲兒童的聽力最敏感，嬰兒一生下來時是個大近視眼，因爲神經未發展完成，無法精準調節水晶體的焦距，使影像落在視網膜上，所以孩子的視力要到兩歲左右才發展完成。但是聽力就不一樣了，胎兒在七個月時聽力就發展完成，一出生才幾分鐘的嬰兒，便能夠轉動頭尋找聲音的來源，這個辨識音的能力對孩子分辨他自己的母語非常的重要，因爲十二個月大的嬰兒可以分辨世界上所有的音素，而十八個月以後，這個能力就消失了，只剩下對母語的敏感。因此，念書給孩子聽便是一個刺激大腦發展、增進親子關係的最好方法。

孩子依偎在父母身上閱讀時，他所感受的不只是故事內容帶來的想像空間，最重要的還是父母擁抱他所帶來的安全感。我們常看到幼兒倒拿著書，坐在地板上煞有其事的在讀書，有這種習慣的孩子不必上才藝班也不會輸在起跑點上，因爲他已經在書中發現另一個天地，那個天地是超越時空，無遠弗屆，可以任憑想像力自由翺翔的私人空間。這個空間以後可以是他的避難所，一個外在暴力、不公義所不能進入的空間，這對他以後挫折力的忍受有很大的關係。

我們前面說過，當嬰兒接觸到不同刺激時，他大腦內神經之間的連結會越綿密，二〇〇〇年諾貝爾生醫獎的得主肯戴爾就說過：「行爲是決定於大腦神經之間合宜的相互連接的形狀。」(Behavior depends on the formation of appropriate interconnection among neurons in the brain.) 耶魯大學的神經科學家哥曼拉基胥 (Patricia Goldman-RaKic) 也說：「大腦皮質突觸的結構界定了智慧能力的極限，而逐步完成恰當的突觸形狀是建立這些功能上限的唯一方式。」(The synaptic architecture of the cerebral cortex define the limits of intellectual capacity, and the formation of appropriate synapses is the ultimate step in establishing these functional limits.)，所謂恰當的突觸形狀也只有靠經驗刺激形成，這個經驗包括親身的經驗及旁人的經驗（即耳濡目染），而最迅速的耳濡目染方式便是閱讀。

一個義大利北部老人的研究顯示文盲得阿滋海默症的比例是讀過五年書老人的十四倍，西諺說「打開一本書就像打開了一個人的心靈世界」，親子閱讀對孩子大腦的發育及將來智慧人格的發展的重要性已經是不爭的事實，現在的問題在於如何落實而已。在台灣，正確的知識常被一窩蜂的媒體炒作所掩蓋（白鳳豆就是一個例子），只有完整的把一個概念教育給人民，才不會產生過猶不及的偏頗情形。

一般研究上所用的控制組，都是關在籠子裡沒有任何刺激的老鼠，或是早期孤兒院中完全被忽略的兒童，因此對其結果的解讀就必須特別小心。一般來說，只要在正常的家庭環境中長大，孩子所接受的刺激便足夠使神經健全的發展，父母不必刻意去送才藝班、腦力發展班。「輸在起跑點上」是商人恫嚇父母的廣告詞。《從〇歲開始》這本書會告訴你，完全沒有這回事。事實上，美國的父母現在已經開始反彈，抗議大多的課外活動使父母疲於奔命，完全沒有家庭的時間，他們已經覺識到，不管哪一種課外活動都沒有全家一起進晚餐、共享家庭時光來得重要。

在台灣，傳統家庭的意識正在現代化的過程中逐漸式微。我們看到二十四小時托嬰，父母只有週末才把孩子抱回家；我們看到鑰匙兒童，放學了自己孤伶伶一個人回家，我們更看到講得一口標準菲律賓英文的孩子。父母把教養孩子的責任都托付給別人，自己在外打拚事業；然而，一個豪華富裕的家並不一定是一個溫暖的家，而贏得世界卻輸去孩子在演化上來說是失敗的，因為你的基因沒有傳下去，不論賺了多少錢都等於零。

因此，現在的心理學家開始呼籲父母重新檢討家庭經濟的標準與需求，當把物質慾望降低一點時，許多年輕的母親可以留在家中自己帶孩子，書店裡有許多書教導母親如何節省開支，靠一份薪水過日子，如何組織有年幼孩子的家庭，利用社區資源，同舟共濟。

家庭是社會的基石，六〇年代反傳統、反制度的嬉皮文化改變了家庭的倫理道德，也改變了社會的結構，經歷四十年後，現在這個鐘擺又盪回了另一端，開始呼籲父母要重視自己的責任，強調教養的重要性，要求立法保障兒童的權益，大的企業公司也普遍設立托兒所使員工能夠公私兼顧，安心上班。這種對幼兒期教育的重視是提昇國家實力的開始，讓我們從這裡開始邁向二十一世紀。（原載於《從〇歲開始》，序）

11 潛在的學習

○～三歲是幼兒發展很重要的時期，幼兒的大腦快速發展，孩子也像海綿一樣，快速的吸收新知識（不過沒有三歲定終身這回事，新手父母不必害怕，大腦一直持續在發展）。有研究發現，如果一個孩子在高中畢業時，想要有六萬個字根的詞彙儲存在他的腦海中，他必須自出生起一天學會十個以上的生字，一年才可能學到三千七百五十個字根，那麼，等他長到十七歲時，才可能有六萬個字的詞彙。但是我們也知道沒有任何一個父母一天有教孩子十個生字，這個情形中、外都一樣。

孩子的學習遠超過老師所教的，所以這種潛在的學習（又稱作無意間的學習〔incidental learning〕）是孩子學習最主要的一種方

書名：情緒、氣質與親子關係
作者：雷庚玲・黃世琤・許功餘
出版：信誼基金

式，也是父母對孩子影響最大的一種方式。孩子在不知不覺中學會父母的爲人處世經驗，內化成爲他自己的人生觀和價值觀，這個內在的觀念或看法表現在外時，就是我們所謂的態度、行爲，也就是近年來很紅的ＥＱ——情緒智商。

社會的多元化及快速變動，使得ＥＱ比ＩＱ重要的觀念逐漸被人們所接受，「萬般皆下品，惟有讀書高」的傳統觀念也逐漸在崩潰，一個只會死讀書的書呆子，在公司中已經不及腦筋靈活、動作伶俐的小弟吃香了。大家開始檢討情緒智商的成因及培養它的方法，所以嬰幼兒情緒的發展開始受到社會大衆的注意，尤其是最近社會心理學的主要期刊《人格與社會心理學期刊》（*Journal of Personality and Social Psychology*）刊登了一篇重要論文，發現ＩＱ與三歲時幼兒的內向／外向人格有關。這是南加大（University of Southern California, USC）的神經心理學家雷恩（Adrian Raine）在印度洋的毛利塔尼亞島上長期追踪一、八〇〇個男孩和女孩智力表現的一篇研究報告，他發現三歲時活潑外向有冒險精神的孩子長到十一歲接受測驗時，智商的分數比一般人高十二分，學業表現和閱讀能力也比一般人好。這個差異在男孩女孩身上都一樣，也就是說，它與性別無關，而且在把父母的社經地位、教育程度等因素都抽離後，這個現象仍然存在。

初看之下，這結果似乎很令人驚訝，但是如細想一下現代神經心理學家對智慧的定義（神經之間連接的密度），就立刻明白爲什麼雷恩博士會認爲小孩子的冒險好奇行爲是因，而Ｉ

Q的增加是果了。

當孩子有好奇心，往外面探索時，每一個新經驗都會增加他大腦中神經的連接，神經連接得愈緊密，觸類旁通、舉一反三的現象就愈會出現，這種「聞一知十」正是我們所說的智慧。所以三歲時，外向、合群、喜歡交朋友的孩子在智慧量表上（即IQ分數）就比三歲時喜歡自己一個人玩的孩子來得高，雖然他們一樣很會疊積木、描紅、畫畫或辨認人臉或物體。這些孩子的環境刺激都很豐富，但是喜歡與人接觸的孩子的環境刺激更豐富，因為人的思想是不停在變動的。我們都知道，最昂貴的玩具比不上一個同年齡的玩伴，因為玩伴是活的，不停的想出新的點子、新的玩法，帶給孩子的大腦刺激是無止境的，而最昂貴的機器人只能固定的做幾件事而已，孩子久了會生厭。人與人之間這些認知上的互動會幫助大腦神經的發展，因此八年以後，他的智商表現比較好也就不足為奇了。

信誼基金會一直走在時代的前面，它了解到情緒發展與智慧的重要性，所以今年信誼基金會主辦的第二屆「〇～三歲嬰幼兒發展會議」的主題便訂在情緒、氣質與親子關係。認知心理學的研究已經讓我們知道，只有有背景知識的人才能充分吸收新知，新舊知識必須掛上勾，連上線，才會永久。這個觀念雖然大家都知道，但是在舉辦研討會之前先出版研究彙編以達到知識鷹架的目的，信誼基金會還是第一個。在此向信誼基金會致敬，也希望這種魄力和遠見能在國內流行開來。（原載於《情緒、氣質與親子關係》，序）

12 體會生命的原動力

孔子說「禮失而求諸野」，當現代的文明父母整天憂慮不知道該怎麼帶孩子，才不會造成以後孩子的憂鬱症、焦慮症，或是怎麼教孩子才會使孩子不輸在起跑點上，將來可以出人頭地，事業得以成功時，亞馬遜河流域葉瓜納族的育兒方式給了我們很多的啓示。在那裡，孩子生下來就跟著媽媽，二十四小時不離身，沒有托嬰這回事，當母親再懷孕，有更小的弟妹來取代他在母親懷抱中的地位時，上面的兄姊或族人就帶著這個剛會走路的孩子開始探索周遭的生活環境，教他在這生態中生存的技能。

葉瓜納族的母親不會隨時跟在孩子後面叮嚀小心不要摔跤，不要離開我的視線，但是孩子和母親很親，有事要找媽媽時一定

書名：富足人生的原動力
作者：Jean Liedloff
譯者：吳愛頡
出版：新自然主義

找得到。父母平日並不告誡也不說教，但是孩子天生是好奇的，他的眼睛隨時睜得大大的，無時無刻不在看別人是怎麼做、怎麼說，自己一點一滴地有樣學樣。叢林中的孩子透過這種內隱的學習方式成爲叢林主人。雖然對外人來說，叢林中危機四伏，有蟒蛇、鱷魚、急湍，但是他們信心十足的去狩獵，因爲他們了解這些危險的本質，在他們成長的過程中，父母不曾大叫「小心！」「危險！」父母只會以身作則作給孩子看危險的環境要怎麼小心才可能繼續成長。

《富足人生的原動力》這本書最主要的目的，就是告訴我們「人天生就擁有判斷什麼是對我們最好的能力」，但是這項本能卻被後天紅塵的慾望所矇蔽，所幸在原始的環境中還可以看得見。所以作者呼籲我們歸眞返璞，去體會生命的原動力。

教育孩子身教比言教重要，孔子很早就說了「天何言哉」。父母的以身作則比什麼言教給孩子的啓示都大，父母若能不嘮叨，很多應該進去的訊息自會進入孩子的大腦，父母如果能像葉瓜納的父母一樣，當孩子來問時才給答案，親子關係或許能改善很多。有一句西方格言：「不要給別人忠告，聰明人不需要，傻瓜不會用。（Wise men don't need it, fools won't need it.）」這本書給我最大的啓思是順其自然不強求，快樂就在你身邊，用心體會就找得到。尤其作者萊德羅芙（Jean Liedloff）強調我們應該像葉瓜納族人一樣，不去論斷別人，接納人與人之間的差異，她讓我們看到他們尊重自己，信任孩子。在叢林中沒有父母叮嚀的孩子也順利長大了，而且在他的環境中適應得很好，我們又爲什麼要這麼操心，整天跟在後面擔驚受怕呢？只有大人放輕鬆，小孩才有可能放輕鬆，給孩子一點空間，他才會長得好，帶孩子要像放風箏，線長一點才會飛得高。

這本書和別的書不一樣的地方，是它強調順應自然，尋找生命的原動力，它叫你退後一步，不要在意一時的競爭，眼光放遠時，天地自大，你只有遼闊的胸襟才可能體會到生命的原動力，有一首詩很能說明這本書的宗旨：

手把青秧插滿田，低頭便見水中天
心地清淨方為道，退後原來是向前

我們若能退後一步看孩子的成就，會發現站得遠一點時，缺點會看不見，優點會顯現出來，因爲一個孩子的優點絕對勝過他的缺點，只是我們平日的注意力放到他的缺點上罷了。本書告訴父母有一些屬於自己的空間的孩子，發展得會更好。人有追求生命原動力的本能，請放手讓他追求原本就屬於他的快樂。（原載於《富足人生的原動力》，推薦）

第4篇

生命科學

1 尋找先人的足跡

對未來，我們充滿害怕，因爲我們不知道會發生什麼，所以我們會去算命；對過去，我們充滿好奇，因爲我們知道發生了什麼，卻不知道是怎麼發生的，所以我們會去考古，去挖掘。人們熱中的程度是後者尤勝於前者，因爲歷史上有許多的考古學家，終其一生在尋找人類的過去，即使傾家盪產也在所不惜。

考古的確令人著迷，人從哪裡來的？爲什麼人種有那麼多的不同？人類的文明是怎麼起來的？爲什麼在希臘、羅馬文明那麼興盛之後，歐洲會陷入九百年的黑暗時期？在我念中學的時代，這些問題是每次拿起歷史課本便浮出心頭的問題，但是在當時的環境是不可能去圖書館找資料的。留學美國是我一生所做最對的

書名：人類大遷徙
作者：Luca & Francesco Cavalli-Sforza
譯者：樂俊河
出版：遠流

一個選擇，因爲它打開了我的知識之門，在加州大學柏克萊分校的東方圖書館裡，我用揹包去借書回來看，在那裡，我感到知識的浩瀚以及生有涯而學海無涯的警惕，從那時起，我講話和走路的步調都加快了，因爲要節省每一個不必要的分鐘。

在柏克萊最重要的一點是，我接觸到「大師」，不是台灣我們這裡自封的山頭大師，而是虛懷若谷、溫文儒雅的大師——中研院院士王士元教授。從王教授處，我第一次知道人種的起源可以透過血液中粒線體ＤＮＡ的比對追蹤。凡走過，的確必留下痕跡，祖先雖然已逝去千萬年，我們現在可以利用科學的方法找出當年他們遷徙的路線，從他們留下的工具中，猜測他們當年的生活形態。

從王士元教授處，我發現演化論的重要性，它解釋了爲什麼北方人高、南方人矮，北方人白、南方人黑，寒帶人鼻孔窄、熱帶人鼻孔闊，寒帶的人臉孔扁平、溫帶地方的人五官突出，這些外表形態都是人體對氣候適應的結果。比方說南方人矮是因爲身體要散熱的關係，當濕度很高的時候，體溫就不容易散發，這時，面積和體積的比例就很重要，我們知道一公分立方體的體積是一，表面積是六，體積和表面積的比例爲一：六，但是二公分立方體的體積是八，表面積是二四，比例是一：三，所以在熱帶雨林中的人不能長得很高大，因爲體溫散不出去是會致命的。俾格米人（Pygmy）住的地方濕度幾乎爲百分之百，所以他們也說是世界上最矮的人，這是有生理原因的。

北方人白是因為維他命D的前身物質如果受到陽光中紫外線的照射，就能轉換為維他命D，因此住在北方的人如果又以穀物為主食的話，演化就會選擇那些膚色較白的人，使皮膚能吸收陽光以製造生存和發育有關的維他命D；不過極北地區的人，如愛斯基摩人，因為他們的主食為魚和肉，可以從魚肉中獲得足夠的維他命D，所以雖然膚色深，也不會被天澤淘汰掉。當然，我們知道赤道的日照強，而強大的紫外線對人體有害，紫外線不能穿透深色的皮膚，所以熱帶的人皮膚黑，對人體有保護作用，只要日照夠強大，即使深色的皮膚也能生成足夠的維他命D。

寒帶地區的人鼻孔小，這樣可以讓冷空氣在到達肺部以前有更多的時間變暖和一點；眼睛變細小和周圍的皮脂變厚，是使眼睛可以得到更多的保護。愛斯基摩人都是矮矮壯壯的，主要就是因為熱是透過體表散發的，所以極寒地區的人體型要盡可能像球形，以減少表面積和體積的比例；蒙古人臉寬而扁，因為臉部沒有突出的部位就更容易抵禦寒冷。在溫暖的氣候中，臉部突出和長臉是有用的，可以增加散熱的表面積，所以非洲人、新幾內亞人的臉都是這個樣子。

這些表面上的差異非常顯著，使我們誤以為人種之間差距很大，其實人種之間的差距非常小，《人類大遷徙》這本書會告訴你，血液的比對證據指出，地球上的人類是源自同一個「非洲夏娃」，是來自同一個遠古民族。這些表面上的差異是人類對氣候適應的結果，因為地球熱帶和北極有很大的氣候差異。

幾千萬年下來就演化出不同的外表形態，造成我們今天的歐洲人、亞洲人和非洲人外型上的不同。但是皮膚底下，構成人的基因基本上都是一樣的，歐洲人絕對不會比非洲人更聰明，亞利安人也不會比猶太人更純種。了解到這一點，眞是會爲二次世界大戰時死在納粹集中營的猶太人感到冤屈。人的無知造成愚昧，這種根深蒂固的種族偏見，造成澳洲南方塔斯馬尼亞原住民的滅種，也使全世界的原住民受到迫害。人很容易被視覺所誤導，因爲人種的差異表現在身體外部的特徵上，我們就很自然的認爲他們內部的遺傳構造也與我們不一樣。直到現在，都還有人認爲輸了黑人的血自己會變黑，他們完全不了解皮膚之下的一切相同，這是爲什麼我們會用「膚淺」罵人，因爲他只看到表面，外國人會說 beauty is skin deep 也是這個意思。

這本書用血液比對的方法重新建構出我們祖先遷徙的路線，這條路線與語言學家比對語言之間的差異所得的語言演化圖不謀而合，這種不同領域、不同研究得出的相同結論是最有說服力的。語言是人用來溝通的工具，我們比較兩種語言核心字的異同，就可以知道它們之間的距離，比如說，人體五官（眼、耳、鼻、舌），身體部件（手、腳），家畜（豬、馬、牛、羊），使用的工具（刀、矛）等，皆爲一個語言的核心字（cord words），如果人們向遠方遷徙，他從原來語言中帶走的，必然是他每天生活上要用的這些核心字；到新地方以後，爲了適應新生活所創造出來的新字，就是原來語言所沒有的。因此，比對兩個語言核心字的異同，就可以知道他們之間關係的遠近了。像我們漢語，現在大部分是雙音節字（如汽車、馬路），也有三音節的（如冷氣機），但是最早以前，漢語是單音節的，後來因爲不敷使用才走上多音節的路，這個證據在於我們漢語的核心字仍然是單音節的字，請看前面所舉的米、麥、稻、眼、耳、鼻、舌、牛、馬、羊便可知道了。

這眞是非常有趣的學問，像偵探小說一樣，剝繭抽絲的尋求眞相，做學問做到這些地步就晉昇到一個廢寢忘食的境界，別人可能會以爲很苦，在裡面的人其實覺得很樂，因爲知識帶給我們的快樂是沒有東西可以比擬的。

對人類起源有好奇心、對科學方法有熱愛的人，看這本書將會是一頓饗宴，裡面的樂趣是無窮的，你會一邊看，一邊點頭，讚嘆說：「原來如此，原來我是這樣來的！」我努力的把書的文字修飾得易懂、易讀，希望這本書能爲台灣的讀者打開一扇新的知識之門。（原載於《人類大遷徙》，導讀）

2 基因、民族和血統的關係

二〇〇二年年底，國家地理頻道做了一個「人・基因碼之旅」的節目，收集全世界一五〇位知名人士的口腔黏膜，從DNA的突變標記檢驗人種的起源，台灣選出陳定南、李遠哲、侯文詠等人參與這項研究，結果陳定南的口腔黏膜顯示他的祖先五萬到六萬年前住在東非，四萬五千年前遷徙到中東地區，三萬五千年前再由歐亞大陸遷到東亞大陸來。這個研究背後的學理證據之一，就是《追踪亞當夏娃》這本書最主要的宗旨。

考古人類學在台灣一向不受重視，這方面的知識也很匱乏，報上登載，侯文詠的母親聽說他的祖先是從非洲來時，一度很緊張，經他解釋李遠哲的祖先也是來自非洲時，他母親才放下心。

書名：追踪亞當夏娃
作者：Luigi Luca Cavalli-Sforza
譯者：吳一丰・鄭谷苑・楊曉珮
出版：遠流

從這裡就看出引進這本書到台灣來是件克不容緩的事，因爲我們對這方面的迷思太多了。人種的知識在現在的台灣更是迫切需要，因爲只有正確的知識，才不會爲政客所利用，在選舉時炒作省籍族群意識，製造仇恨。

最好笑的是，在捷運上聽到幾個學生在討論DNA尋根這件事，有個學生竟然說「陳定南有歐洲血統，這表示他是個雜種」，這些迷思讓我們看到台灣的科學不但沒有生根，連芽都沒有長出來，因爲「純種」這種觀念很早就過時了。

遠流出版的《人類大遷徙》一書中，對這個觀念也有詳細的說明，史丹佛大學（Stanford University）遺傳學教授卡瓦利-斯福札（Luigi Luca Cavalli-Sforza）及加州大學柏克萊分校的威爾遜（Alan Wilson）教授，很早就從粒線體DNA的比對中指出沒有純種的亞利安人這回事，所謂的亞利安人有六五%亞洲血統，三五%非洲血統，也就是說希特勒所主張的亞利安人最優秀其實是個幻影。最近有一本書叫《夏娃的七個女兒》（*The Seven Daughters of Eve*），牛津大學（Oxford University）的遺傳學家塞克斯（Bryan Sykes）也從粒線體的DNA比對中找到歐洲人種的七個起源，因爲粒線體是母親傳給孩子的，所以稱爲「夏娃的七個女兒」。這使我們感嘆，即使很努力把國外書翻釋成中文引進台灣來，學生不讀書也是枉然。最近《天下》雜誌的閱讀調查發現全台灣的家庭一年花在買書上的錢還不到一千元，不讀書，知識怎麼會進步呢？

自從達爾文在一八八一年推測人種起源於非洲後，科學家就努力尋找支持的證據。這一方面進步很快，日新月異，現在分子生物學的知識達到每一八個月翻轉一倍，過去我們說「死人不會說話」(Dead man won't talk.)，所以「殺人滅口」，但是現在情況不一樣了，死人或許還是不會說話，但是他身上的DNA卻可以透露很多訊息，我們可以從DNA的比對中還原很多當時的情形。

例如一九九一年，在俄國烏拉山區的森林中找到一個淺坑，內有九具屍體，有人說這就是沙皇尼古拉二世(Czar Nicholas II)和他的皇后亞歷山德拉及三個女兒的屍骨，也有人說沙皇逃走了，沒有被殺，衆說紛紜，無法定論，這時科學的威力就發揮了，雖然俄國革命發生在一九一八年，事隔七十年，人都化成了白骨，但是最新DNA淬取的技術卻可以超越時空的限制，經過檢驗比對確定他們是俄國皇室的屍骨。傳說中的「眞假公主」(即傳說沙皇有一個女兒逃了出來，流落到美國)後來也發現是假的，因爲，從這位女士大腸切片中取得的DNA序列與沙皇家族的不同(比較離譜的是這位女士是德國精神病院中逃出來的女病患，一個精神病患者竟然騙了世界四十年)。

所以生物醫學的進步已經使各個領域間的距離快速的縮短，以前人類學、語言學、地質學、考古學和分子生物學是被認爲八竿子打不到一起的，現在發現彼此息息相關，牽一髮而動全身，就如本書所描述的，任何一個領域的新發現都直接影響到另一個領域中一些基本假設的成立。所以現在的學生要想出人頭地，眞的必須比前人更用功，因爲除了自己的專科領域之外，還要具備很多的背景知識，使自己能了解別人的研究，從而看到自己領域的曙光。因此，我認爲這本書的最後一章最有啓發性，它讓我們了解文化最主要的作用是讓人在短時間內適應並且控制環境，非洲人絕對沒有比我們笨，他在他的環境中適應得非常好，因爲現在對智慧的定義不是他的文明有多進步，而是他在他的環境中生活有多適應。

因此，世界上沒有所謂的優等文化或劣等文化——文化是離不開環境的。洗衣機或許很文明，但在非洲叢林中就毫無用武之地。文化是讓我們的知識得以代代相傳的方法，它的資訊累積方式可以去除個人生命週期的限制，因此世界上所有的國家都極力在保存它自己的文化，因爲沒有文化，它的國民就會成爲無根的一代，失落的一代，會造成認同危機。

未來認同會漸從種族地緣轉爲文化的認同，一個人種如果每個世代有五%外來基因的流入（genetic flow），三百年後，它原來的基因只剩七〇%，現在美國的黑人即如此了，他們血液中有三〇%是白人的基因，到一千年之後，只剩一〇%是他們原有的。因此區分省籍和族群是沒有知識的做法。根據考古人類學的研究，人類可能在三百五十萬年前起源於東非洲，現代人身上都有一些相同的非洲基因，可以說是一家人，演化到後來的差異其實是文化上的差異、語言上的差異，而不是智慧上的差異。這些差異帶來不當的優越感，「漢人習得胡兒語，站在牆頭罵漢人」這種行爲會被我們認爲不恥，因爲數典忘祖，忘記了自己的來源。

最近有一篇「近代桃花源記」的報告，在巴基斯坦與西藏交界的喀喇崑崙（Kara Koran）山中發現有一小群白種人，傳說他們是亞歷山大大帝（Alexander the Great）東征印度時留下來的士兵後裔，金髮碧眼、淺色皮膚，輪廓就和希臘人一樣，唱著希臘西北部的民謠，圍成一個圓圈跳著希臘土風舞，他們的長相、生活習慣，一切都與巴基斯坦人不像。史丹佛大學醫學院（本書作者是這個小組的一員）從DNA的比對中發現，他們和歐洲的巴斯克人比較近，與巴基斯坦人很遠，他們眞的很可能是亞歷山大士兵的後裔，一群遺忘在世外桃源二千年的希臘人。最近基因地圖的研究也顯示，歐洲的吉卜賽人其實來自印度北部的部落，是波斯王大流士（Darius）征服印度時，帶回去勞軍的五百戶樂工。

本書有特別提到遊牧民族人口都控制得很好，差不多三、四年才生一個，因爲帶著襁褓中的幼兒遷移是很不容易的事，幼兒死亡率高會使父母投資（parental investment）報酬率低，因此，打獵／採集或遊牧的民族，都是等到幼兒三、四歲會走了才生第二個。但是人類進化到農耕社會後，人口就開始快速成長，因爲不必揹一個、牽一個、懷一個那麼辛苦了。從這裡我們可以約略想像到我們祖先「出非洲記」的難苦情形。

科學的進步，使我們在祖先的形體已經消失千百萬年之後，憑著DNA的比對可以重新追溯出他們當年的足跡。在高中時我曾讀到連橫的〈台灣通史序〉，內有「篳路藍縷，以啓山林」這句話，當時年輕，讀了沒有感覺，現在回想起來，先人勇渡黑水溝來到陌生的蠻荒海島「以啓山林」開拓新天地。這種求新、求變的勇氣眞是令人佩服，也是本書讀完之後，內心澎湃，久久不能自己的原因。祖先胼手胝足的替我們開創了一個安身立命的空間，如果我們不能把這個空間平安傳到下一代的手中，眞是有愧先人的使命。

讀了這本書，「永續發展」不再是個口號，它是存在於你我血液中的使命；「世界大同」也不再是個理想，它是以後必然的實境，以現在交通的發達，人類快速的流動，當一千年後，不同種族的基因都大融合時，世界就大同了。（原載於《追踪亞當夏娃》，導讀）

3 簡單說話學問大

語言學（或是任何與現實功利社會掛不上勾的學問）在台灣並不受重視，一般人對它的了解也極爲有限，包括所謂的知識份子在內。二十年前，我曾在台灣一所著名大學的系務會中聽到一位教授反對該系開心理語言學的課，理由是：「爲什麼要修語言學？他們（指大學生）不是已經都會講話了嗎？」我想這位名嘴教授應該不是個案，而是台灣的普遍現象。我們教育的方式使得我們看事情只看表面不會反思，很多事情認爲理所當然，不會更深一層地探討內在機制。當不了解內在機制時，自然就被表面所騙，也就對自己會看、會聽、會說毫不珍惜，無法領會大自然的巧妙安排，非要等到失去了，才會惋惜。

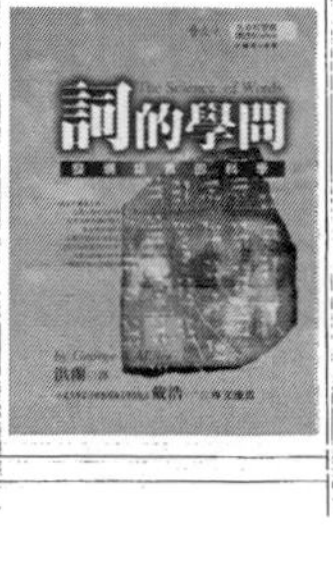

書名：詞的學問
作者：George A. Miller
譯者：洪蘭
出版：遠流

其實，人類最偉大的能力不是科技上的各種發明，而是每一個正常的小孩都可以學會說話，還都是無師自通，學得毫不費力。有一個研究發現小孩子一天必須學十個以上的生字，一年才能學會三千七百五十個字根，那麼當他長到十七歲高中畢業時，才有可能會有六萬個字根的詞彙。但是沒有那一個父母是一天教孩子十個生字的，就算是老師，一年也只能教一百到二百個生字，孩子的學習是遠超過老師的教學的。所以，這種「無意間的學習」的能力實在是人類最了不起的「奇蹟」，但是這個凌駕所有動物的能力卻常被我們忽略。《詞的學問》這本書就是把不受我們注意的奇妙地方一一道來，讓你驚嘆原來這麼簡單的說一句話，背後竟有那麼大的學問！

本書的作者米勒（George Miller）是美國國家科學院的院士，也是哈佛大學心理系的講座教授，他早在一九五六年就因爲一篇論文〈魔術數字：七±二〉奠定了認知心理學的基礎。他在行爲主義的全盛時代，以這篇論文挑戰行爲主義不屑、不敢碰的黑盒子：人類的心智能力。這本書是遠流《生命科學館》「科學美國人圖書館」序列的第三本書（前二本爲《腦，在演化中》及《透視記憶》）。以作者和出版者在美國學術界的地位，本書的價值應該是毋庸置疑的，當然這句話還是應該留給讀者自己判斷。

本書的英文名字叫做 *Science of Words*，因爲它強調的是用科學的方法所研究出的詞的學問。英文中的「Word」其實相當於我們中文的「詞」，因爲雙字以上的詞已經占我們語言的大部分了，但在書中，你會發現有些地方我用「字」，有些地方我用「詞」，原因是我考慮到一般讀者的習慣性，不希望讀起來拗口，所以在不違反文意的情況下，我會用一般人習慣的「字」，但是在「詞彙」等重要的地方，我就用「詞」。信、雅、達固然重要，但是使讀者能夠讀下去，不半途而廢，對我而言更是重要，因爲把新知識傳播出去是我從事翻譯最主要的目的，假如讀者把書放下不看了，再信、再雅、再達又有什麼意義呢？

這是一本非常不好翻的書，因爲我們雖然都會說話，對語言學的知識卻是非常少，要在沒有什麼背景知識的情下，將一門科學介紹給大衆是不容易的，但這也是這本書最重要的地方。

很多孩子不喜歡讀書，更討厭寫作文，這個問題是在於我們不了解兒童學字的歷程。我一直認爲只有對症下藥，藥才會有效，病才會好；同樣的，只有了解兒童詞彙學習的心理歷程，教學才會有效。因此，第十二章是所有父母老師都應該詳讀的，它談到增加詞彙唯一的方法是大量閱讀，讓孩子在各種不同的文章情境中發現生字的用法，才不會發生錯用生字或成語的現象。這點值得教育者思考。

書中舉的例子都非常有趣，我們中文也有很多這種例子，例如「天黑了，爸爸陸陸續續回家了」，或稱同學是「手帕之交」（手帕專指青樓女子）。書中指出這種錯誤是編字典的人不了解兒童學習生字的方法是用替代法，將生字用字典中的熟字取代，然後造一個句子出來。

因此，字典除了定義，應該還要列出範句，讓孩子了解這個定義在句子中的用法，才不會讓孩子表錯情、會錯意，當然這個工程浩大，一般的字典是做不到的，所以孩子只有從書中的文意脈絡去體會字義。因此，廣泛的閱讀就變得非常的重要，作文也就成爲評量一個人有沒有基本表達能力的考試方式了。

其實，書中會告訴你，縱使一年讀上一百萬字，仍然不夠，因爲根據統計，一百萬字的文章中，不會超過五萬個不同的字，這僅代表一萬個字根或字的家族，其中不熟悉的字不會超過一千個，而認知心理學家從記憶的研究上已發現，要學會一個字必須多次的接觸（也就是說，熟悉度是增進記憶最有效的方法），所以，一學年讀一百萬字是萬萬不夠的！看到這裡，或許你會了解爲什麼我們這麼急迫的在推動閱讀了。網路上有一篇亂用成語的搞笑文章，我摘錄一小段供各位讀者參考：

按照慣例，我們早餐喜歡吃地瓜粥。今天因為地瓜賣完了，媽媽只好黔驢技窮地削些芋頭來濫竽充數。沒想到那些種在陽台的芋頭很好吃，全家都貪得無饜地自食其果。出門前，我那徐娘半老的媽媽打扮得花枝招展，鬼斧神工到一點也看不出是個糟糠之妻。頭頂羽毛未豐的爸爸也趕緊洗心革面，沐猴而冠，換上雙管齊下的西裝後英俊得慘絶人寰，雞飛狗跳到讓人退避三舍。東施效颦愛漂亮的妹妹更是穿上調整型內衣愚公移山，畫虎類犬地打扮得豔光四射，趾高氣昂地穿上新買的高跟鞋。

有許多位國文老師寫信告訴我，這其實是他們改作文時實際碰到的例子，每位老師都感嘆，在速食文化充斥的今天，已經沒有人再靜下心來看書了，大家似是而非的亂用文字和成語，以訛傳訛，積非成是。在意識形態重於一切的政治環境中，已經沒有人在意什麼是是，什麼是非，只要意識正確便通行無阻。

這本書的出版，有一點力挽狂瀾的味道，用詞遣字是學問，要做個有文化涵養的文明人，請深讀這本《詞的學問》。（原載於《詞的學問》，譯序）

4 人類的閒聊與動物的梳理

在上腦的發展的課時，我們都會問學生：「人爲什麼會發展出這麼大的腦來？」的確，這是一個相當有趣的問題，這麼大的腦常使我們擠不出產道，送了自己的性命，也害了母親，所以生日才會被稱爲母難日，這應該是一個思考的好問題。但是我們平常都沒怎麼想它。

與身體大小相比，我們的腦比同體重的哺乳類大了九倍，如果和最原始的哺乳類如刺蝟、鼴鼠相比，我們的腦比牠們大了十二倍。腦是一個非常耗費能源的器官，它占我們體重的二%，但是用到我們二〇%的能源，以大自然是個節儉的家庭主婦（這是麻省理工學院教授平克的話）來說，它演化成這麼大一定有原因，

書名：哈啦與抓虱的語言
作者：Robin Dunbar
譯者：洪莉
出版：遠流

不會是個偶然事件。腦大，對身體能源的要求就多，頂著這個大腦的動物就不得不到處尋覓食物以滿足能源的需求。一個經常暴露在穴巢之外的動物，就會增加自己變成別人晚餐的機會，所以腦大必定有什麼重要的作用，使我們演化成以生命來換取它的功能。這個題目教書教到現在都沒有學生答得出來，所以我決定將《哈啦與抓虱的語言》這本書引進台灣，因爲我們這方面的知識太缺乏了。

一九七〇年代，學者一般是認爲腦是問題解決的器官，專門解決生活上的問題，使生存變得容易些。所以吃水果的動物要比吃葉子的腦大些，因爲葉子到處都有而水果分布零散，要努力找才有得吃。大腦必須用來記憶時間、地點、種類，什麼時候、在什麼地方會有什麼種的水果成熟，這就是我們新皮質的功能，所以我們的新皮質與大腦其他部分的比例是四比一。我們是從猿類演化而來，千萬年前，猿與猴分家時，猴子身體內有消化單寧酸的酶而猿類沒有，因此，猿類如果吃樹葉或未成熟的果子會胃痛、瀉肚子。

在地球氣候變化，海洋溫度一降十度，森林萎縮時，我們的祖先競爭不過猴子，只好從樹上下來，不辭辛苦的尋找成熟的果子吃。我們的肩骨因而改變，因爲已經不需要像猴子一樣，一隻手拉著樹枝，將身體像鐘擺一樣，盪到最遠的樹枝去了。我們的骨盤發展成直立行走的二足式，因爲在大太陽下橫過草原時，站起來走比四肢走涼快得多。我們的體毛也逐漸退化，只留下頭頂上及胸前會直接曬到太陽的地方。這個說法雖然有理，卻不能解釋同樣吃水果的靈長類，爲什麼有的腦比其他的大。

八〇年代，新的解釋是大腦與複雜的社會結構社交行爲有關係，即所謂的馬基維利智力假說（Machiavellian intelligence hypothesis）。馬基維利是十六世紀的義大利政治家，主張權謀，爲達目的不擇手段，政客是要說謊的（君不見「眞話不能說，謊話又說不出口」的良心官員就只好辭官，「採菊東籬下」悠然見花蓮的山嗎？），謊說得多，如果記不得是對誰扯了什麼謊，這個謊就會穿幫，因此，政客的腦都特別大。事實上，馬基維利的假說是目前解釋大腦大小最好的理論，因爲如果不能有心智理論（theory of mind）就無法推測別人的行爲，並且因別人的行爲而立刻改變自己的行爲，以爭取環境變動所帶來的最大利益，就只好過著簡單組織的日子；但是如果知道A與B是裙帶關係，B又對自己有升遷影響力，那麼就知道A是自己要逢迎的對象，至少不會犯了請A與自己結盟以對抗B這種錯。

因爲社會複雜性與團體大小是以指數的方式增加的，所以必須有個大的大腦專門應付它。比如說，一個團體有五個人，你只需要記住你與其他四個人及這四個人彼此之間的關係就夠了，即你只要記住AB、AC、AD、AE、BC、BD、BE、CD、CE、DE這十個關係，就不會犯嚴重的結盟錯誤。但是如果團體有二十個人，那麼除了記得你與十九人的關係外，還得不停的追蹤這十九人彼此關係的變化，這是一百七十一個關係的追蹤。如果團體大到五倍，你與第三者的關係就大了三十倍。所以人如果必須群居，以團體的力量來抵抗掠食者的侵襲時，腦的大小就非常重要了。在這裡，我們看到大腦變大的合理原因。本書還告訴我們爲什麼團體大到某個程度就會分裂（所以國民黨分裂成新黨、親民黨是合理的），因爲人腦已經無法追踪這麼多人的裙帶關係或利益關係了。本書作者鄧巴（Robin Dunbar）認爲一五〇到二〇〇人爲上限，他舉了很多的例子說明每一種動物每天面臨的，其實就是登錄牠生活團體中誰上台、誰下台，誰是今天最佳的結盟夥伴，今天與誰一起去覓食最有利。社會愈變動，這種知識愈需每日更新，如果沒有一個大腦是注定要被淘汰的。

如果結盟是團體生活的必須，動物如何向別人示忠，讓別人接納牠成爲小圈圈中的一員呢？以靈長類來說，最好的方式就是梳理，當你每天花五分之一的清醒時間替牠翻開毛髮捉虱子，撿出死去的皮屑時，這個忠誠度就沒話說了。研究發現，猴子對剛替自己梳理過的同伴求援聲會立即反應，趕過去支援；如果只是同族的呼救聲，反應則冷淡得多。但是一個人的時間有限，一整天馬不停蹄也只能梳理有限的人，無法面面顧到，因此人類發展出語言，使一次可以對兩個以上的人溝通，既滿足團體要大又兼顧到溝通的需求。我們運用語言建立與維持我們的社會關係，所以語言就是口語化的梳理，目的是增加我們與別人互動的比例。

其實，在人類的社會也是朋友愈多愈沒有人敢欺負你，事業也愈成功。我們雖然演化成穿西裝的高等動物，在很多方面與靈長類還是沒兩樣。以團體大小來說，即是花最多時間在梳理上的狒狒，牠的團體最大也不過五十五，黑猩猩則不超過三十，因爲大於這些數目就給予對方說讒言離間的機會。一個每天見面彼此梳理的朋友別人是沒有機會離間的，因為任何謊言，一對質立刻拆穿。說話時我們一次可以與三到五人說話，超過五人，這個小團體又會分散（請注意一下鷄尾酒會的情形就知道了），因此人類團體是狒狒的三倍、猩猩的五倍，大約一百五十人左右。語言使我們可以快速的交換訊息，任何八卦，靠著耳語，一天之內便傳遍社區。我們很快可以知道誰對誰效忠，誰又欺騙了誰。我們就不會像猴子一樣只能靠直接觀察才知道昨天的盟友已成了今天的敵人，所以這本書的英文名字為 *Grooming, Gossip and Evolution of Language*。的確，人類的閒聊（串門子）作用就等於動物的梳理，它是一個來你家看看有沒有什麼事，問候你好不好，交換一點左鄰右舍八卦的活動，人類的社會就靠著這個活動維繫至今。孔子說「言不及義」，最近的研究發現人聚在一起時，很少言及義，哪怕是最高學府大學裡的交誼廳，裡面講的話百分之八十仍是小道消息，路邊社的新聞，或許《壹週刊》在台灣暢銷就是因為這個原因吧！

人是演化來的動物，要了解人現在的行為，最好的方式是看它是怎麼演化來的，孫悟空每次碰到收拾不了的妖怪，就去求菩薩指點妖精的源頭。看到今日國會的亂象，我們就恍然大悟了，全是這本書所描寫的老祖宗還在樹上時的情況，所以這本書不可不讀，知己知彼才能百戰百勝。如果你的對手還在樹上，你就得用樹上動物的方式對付他，至少，你了解了他的本相，你再翻開報紙時，就不會生氣了。（原載於《哈啦與抓虱的語言》，導讀）

5 從基因演化的觀點看語言

《語言本能》是一本好書，是一本經得起時間考驗的好書。自從一九九四年出版就立刻變成《紐約時報》排行榜上的暢銷書，而且銷售長紅，現在已經十四版了。一本沒有香艷愛情、沒有暴力謀殺的科普書，能夠印上十四版，在現在的社會裡可以算是鳳毛麟角，使你不得不對它另眼相看，使你不自覺會掏腰包買一本，看看它究竟好在什麼地方。

作者史迪芬・平克是麻省理工學院認知神經科學研究中心主任，今年才四十四歲，是這個領域的大天才。他博聞強記，從演化生物學到神經心理學、心理語言學、發展心理學無不專精。在這本書中，你處處可見他的學問，信手拈來毫不吃力，引經據典

書名：語言本能
作者：Steven Pinker
譯者：洪蘭
出版：商周

從古到今，所舉的例子生動活潑，一改我們以前認為語言學是一潭死水、死氣沈沈的錯誤觀念。對於兒童語言的習得，我沒有看過哪一本書比他講得更生動、更有道理，他所舉的實驗例子，即使是外行人也可以馬上理解這個這個實驗的重要性，進而欽佩研究者的頭腦，竟能想出這麼漂亮的實驗來！

對我個人來說，本書最精采的地方是他從基因演化的觀點看語言的關鍵期，我們都知道過了學習語的關鍵期再學第二語言，就會有口音、腔調，而且不如學母語那麼輕鬆自如。但假如我們可以不費吹灰之力就學到母語，為什麼這個本能會消失？我相信這個問題一定存在很多人的心目中，尤其是我們學了十幾年的英文，見到外國人仍然是張口結舌，說不出一句英文來；懊惱之餘，不免奇怪為什麼語言能力愈老愈差。留學生都有這種經驗，大人還在與鄰居比手劃腳，小孩已經英文「溜」得很，和別的孩子稱兄道弟，玩得不亦樂乎了。

關於語言的關鍵期，解釋得最好的就平克。在看完第九章最後一段時，你會放下書，大大地嘆口氣說：「唉！為什麼我沒有想到能這樣解釋！舜何人也，予何人也，我怎麼差他這麼多！」平克把學習語言的機制想成一個預算很拮据的劇團，所有的道具、布景、戲服要不斷的回收，改作他用。大腦消耗我們身體五分之一的氧，絕大部分的卡路里在語言學習完成後，這個機制就被回收，改作他用。既然語言是本能，它就和生物界其他的機制一樣，我們第二外國語的口音，就是我們嬰兒期語言能力卓越的代價，就像老年時身體衰弱是年輕時精力充沛的代價一樣。

我最近正好看完一本從演化上解釋人爲什麼老的書，講的理由與平克說的一模一樣，而這位作者是個醫師，輻輳的證據給人的力量是震撼的！也使我愈來愈覺得：書讀到通時，領域的界限豁然開朗，所有的知識彼此都有關聯，所有看到的東西都與現在做的研究有關。我想平克這本書給我最大的啓示就在這裡。

我在大學裡教心理語言學，以前用的課本都是傳統的、以實驗爲主的課本，雖不至於說是「天書」，學生看起來都還覺得吃力，一學期上下來到學期結束若還有二、三十人，這個老師就算是舌燦蓮花，會教書的了。自從平克的書出來後，我改用他的書，一時間，老師、學生都輕鬆很多，他的文章行雲流水，讀起來像讀小說，一下子就看完一章，他舉的例子都非常有趣，課堂的氣氛變得很活潑。我再把實驗的部分酌量加進去後，學生並沒有抱怨，因爲他們發現了語言的興趣。學期末了，我竟然得以維持與開學時一樣的人數。所以，我決定把這本書介紹到國內。我相信年輕學子會看得下這本書。

政府大聲高呼科技與人文對話，而兩邊對不起來的原因，我覺得是人文方面的人科學素養不夠，因爲我們高一就分組了，念文法、社會科學的人幾乎都沒有生物、演化論方面的概念，對人這個由演化來的社會動物，就無法從更宏觀的角度作深層的了解。語言是人社會化的基本條件，透過語言、文字，人類文明得以產生，流傳下去。但是對於語言方面的了解，國內很少從生物機制的觀點談論。

在人類即將破解基因之謎的今天，我們不能不從語言的生物基礎看語言。只有了解語言是怎麼演化來的，我們才可能預測它的未來走向（在社會心理學上，大家都知道，預測一個人行爲最好的指標就是他過去的行爲），只有了解語言的習得過程，我們才有可能善用這個天賦，創造出更美好的文明。

《語言本能》的最後一章談到語言與心智的問題。我認爲語言是一把鑰匙，是一把解開我們心智之謎的鑰匙。以前我們說語言是一扇窗，讓我們一窺心智的內在世界。現在隨著腦部顯影照相技術的進步（如功能性核磁共振腦部掃瞄術與正子斷層掃瞄術），透過大腦處理語言的過程，我們將了解心智是如何運作的。對於語言，你能夠不了解它嗎？（原載於《語言本能》，譯序）

6 從複製看生命

《基因複製》是國內第一本有關複製、代理孕母的書，作者是《紐約時報》的資深科學記者科拉塔（Gina Kolata）女士。她訪問了許多醫師、學者、教授，將複製對人類未來的影響和衝擊，抽絲剝繭般地一層層顯示出來。什麼叫人類的尊嚴？複製在哪個層次上危害了人類尊嚴？生命的定義是什麼？我們應當如何看待生命，科學家有權力扮演上帝嗎？

其實這本書最深沈的核心是討論「科學」的定位。在全國上下一頭熱地成立科學園區、建設科技島的現在，這本書有介紹進來台灣的必要，不但是醫學院修醫學倫理的學生應該閱讀，所有的科學家也都應該思考科學與人類的關係。正如本書第一章的結

書名：基因複製
作者： Gina Kolata
譯者：洪蘭
出版：遠流

尾所說的：「桃麗的誕生不是一個結束，而是一個開始。」複製像一面鏡子，它讓我們看到我們自己、我們的價值觀，它讓我們看到人生什麼是重要的，以及爲什麼重要。

二十一世紀是基因的世紀，這早在十年前大家就看出來了，只是沒有人想到它走得這麼快，還沒有到紀元二〇〇〇年它已完成了大部分的既定目標。每週《科學》（*Science*）和《自然》（*Nature*）新出版的期刊上，我們都會讀到新的報告，又找出人類某種病或某個行爲與基因之間的關係，這使人類在邁向長生不老的欣喜之餘，不免有些惴惴不安。因爲人類到現在還沒有摸清楚生命的本質是什麼，還沒有想透徹生命的意義又爲何。前一陣子，報紙上有人大作廣告，可以冷凍屍體，待醫學技術進步到可以治療癌症、可以使人長生不老後再解凍，起死回生，永在人間享受做人的樂趣。看了這種消息，我益發覺得這本書很重要，竟是連一般老百姓都應該好好讀一讀了！

二十一世紀可以說是生物科技的世紀，人人都需要知道什麼是生物科技。這本書正是將複製從頭說起，把整個領域的來龍去脈介紹得很詳細，是這個領域絕佳的入門書。

在科學上最困難的是決定要問什麼問題。一旦問題形成，問題本身就會導出假設，假設就會導出預測（prediction），有了預測就可以設計實驗驗證。當科學家做實驗以驗證假設時，新的知識就產生了。這本書處處看到這樣的例子，今天分子生物學進步得這麼快，可以說是一日千里，這與分子生物學家問的問題很正確有非常大的關係。科拉塔女士將這個領域的歷史娓娓道來，引人入勝，這是一本科學的書，但是完全沒有科學書籍的艱澀，讀起來像讀小說似的。在這本書裡，我們看到早期學者的風範，他們一絲不苟地做研究，只是爲了「贏得幾個好朋友的尊敬」，不是爲了追求名利，不是要趕快升上正教授。他們依自己的興趣做研究，討論研究成果在哲學上的意義。他們是眞正的「博」士，因爲他們的知識很廣，只有具備廣泛的知識，才能從各個不同的角度探討同一問題的哲學意義。

現在的博士分工很細，受的訓練不像以前那麼廣，除了自己研究的細節，別的都不知道，也不關心。他們不再有宏觀的思考。相信若去問今天的博士爲什麼他們的學位是Ph.D.（Doctor of Philosophy），一定很多人答不出來，甚至有人會覺得他們念的與哲學毫無關係。科學和哲學是二位一體的，我們當年在美國讀書時，老師一再提醒做實驗不可只埋頭苦幹，忘記了你的研究在大方向上的定位，並一再告誡我們，沒有一個好的科學家會把沒有哲學結論的科學結果拿去發表，叫我們要成爲「家」，不要成爲「匠」。他叫我們一定要多讀其他領域的書，才能以這些表面上看起來不相干領域的研究成果增強自己的理論基礎，引用別的領域的理論觀點幫助說明自己的理念。

現在這種說法會被年輕人嗤之以鼻，稱之爲ＬＫＫ。我對這個現象感到憂心，近幾十年來，經濟掛帥的結果是上下交征利，導致社會精神文明的空虛，人們失去自我的定位，過著沒有明天的生活。當大家都在過著紙醉金迷的生活時，沒有人想到我們現在正在付出社會成本，我們在爲我們現在舒適的物質生活付出精神安寧的代價。這本書表面上看起來好像是在講複製羊，其實它裡面非常嚴肅的討論到「人」的問題。在社會大衆爲了代理孕母的問題吵鬧不休，當立法院諸公要立法規範這個問題時，我們究竟對這個問題懂得多少？它背後帶來的是什麼樣的問題？

有人說「無知比貪污更可怕」，我頗有同感，無知的人犯了大錯還不知道，振振有詞地自以爲在替天行道。我是法律系出身的，深切了解「惡法亦法」爲害之深，與一般小老百姓之無奈，因此在這本書交到我手上後，日夜兼程地將它趕譯出來，希望能盡早出版，在立法院各界討論複製與代理孕母這些問題時，有一本科學性的書籍供社會大衆參考。一個好的法律可以引導社會前進，而不是社會前進的絆腳石。當我們口口聲聲的說「人類的尊嚴」時，請反思一下什麼是「人類的尊嚴」。我希望所有的人類都能有尊嚴地走入二十一世紀！

對於科技的進步，我們必須有所了解才能做出正確的判斷。自桃麗羊出生以後，生物科技在一夜之間，躍上世界的舞台，變成每一個國家科技發展的重點。國家領導人的重視，使得這個領域進步神速，人體基因組序列的解碼變成各國國力競爭的指標，全世界的科技國家都在趕著複製動物，台灣與大陸也都各自成功的複製出一頭牛，「複製」已經進入教科書，成爲現代人必備知識的一部分。因爲有研究經費及菁英的投入，近年來遺傳疾病的研究有許多突破，幹細胞移植的成功造福不少原已無望的病患；冷凍胚胎的解凍成功更使懷孕成爲人力可以隨意控制的事，讓「不孝有三，無後爲大」成爲歷史名詞，「基因篩選」直接衝擊著醫學倫理、法律道德的觀念。目前複製人在技術上已可行，只等著法律放行而已。

近代知識進步之快使得精神科門診中許多人是焦慮症的病患，因爲資訊爆炸，舊的訊息還來不及消化又有新的出來，人被淹沒在資訊中而焦慮不已，最新的數字是三四%的焦慮症者是因爲資訊負荷過重（information overload）而崩潰。面對二十一世紀這種大量資訊的挑戰，我們不再是教導學生知識了，因爲死的知識永遠趕不上時代的需求。我們必須教孩子求知的方法，他自己必須廣泛閱讀以取得背景知識，只有如此，他才可以踏著背景知識的鷹架往上爬，吸收新的資訊，未來才有可能登峰造極。如果我們再用傳統的傳授知識方式，等他踏出校門，這個知識早已經過時了。

本書曾被《中國時報》開卷版選作十大好書，也上了《紐約時報》的暢銷書排行榜，它的確是一本令你開卷有益的好書。雖然我不是作者，但是看到它受到讀者的歡迎，做爲譯者我也覺得與有榮焉。曾經有學生告訴我，因爲看了這本書被它吸引而決定進入生命科學系就讀。希望這本書能引導更多的人進入生物科技的世界，一同探究生命之謎！（原載於《基因複製》，譯序）

7 了解基因的啓蒙書

報紙曾經刊載有一對雙胞胎從小就被不同的家庭收養，姊姊被天主教徒收養，在紐約市公寓中長大，妹妹被猶太人收養，在郊區的豪宅中長大。很巧兩人同讀一所大學，常有人向姊姊抱怨她不理人，姊姊極爲困擾，直到有一天她看到另一個自己迎面走過來，才知道自己原來有個雙胞胎妹妹。這則新聞有趣的地方在於姊妹兩人喜好一樣，所以會去同樣的休閒場合而在那裡相遇。兩個人雖然在不同的家庭長大，價值觀不同，但是有很多地方相似，除了面孔、高矮、身材、體型這種我們本來就知道基因占大部分因素的地方之外，連興趣、嗜好、髮型（兩人不曾見過面，卻留了同樣的髮型），學校裡最拿手的科目、最不好的科目、最喜歡

書名：獨特的基因
作者：Cynthia Pratt Nicolson
譯者：張麗瓊
出版：天下遠見

唱的歌都一樣，就眞的很令人驚奇了。

基因和後天環境對我們人格的成長有很大的關係，《獨特的基因》這本書解答了你很多的心中疑惑，尤其近年來分子生物學的進步，使生物科技變成第二個福爾摩斯，解決了歷史上許多懸案。例如曾經有部電影叫《眞假公主》（*Anastasia*），女主角是英格麗·褒曼（Ingrid Bergman），曾在一九五〇年代的青少年心中激起許多漣漪，因爲這麼美麗的俄國公主身世這麼坎坷。這位假公主因大腸癌病逝於美國的北卡羅萊那州醫院，她的大腸切片送去與英國菲利浦王子作比對（他的母親爲希臘公主，與俄國沙皇的皇后亞歷山德拉同爲維多利亞女王的孫女），因爲人體中粒線體的DNA來自母親，所以如果來自同一母系，DNA的序列中應有相同的標記片段可以比對出來。有了DNA比對之後，發現她原來是個假公主，是柏林精神病院逃出來的女病人。雖然這個消息粉碎了我少年時代的幻想，但是科學的進步眞是令人咋舌，連死無對證的事都可以水落石出，英文那句諺語「死人不會說話」可能要修正了。

書中有提到炸彈客（unabomber），最後是以DNA來定罪的，美國聯邦調查局（FBI）從貼在恐嚇信上郵票背面膠上殘留的唾液中分離出DNA，再與他寄給他弟弟信封上郵票背面的DNA兩相比對發現一樣，以此爲證據使他俯首認罪，因爲他有用舌頭舐郵票，溶解郵票背面膠來貼的習慣。這使我們看到一個人的習慣定型後其實非常難改，他習慣舐郵票而不沾水貼，不自覺時就會這樣做，中國人說「江山易改，本性難移」就是這個意思。這個例子應該會讓父母特別注重子女行爲的教養，因爲一個習慣定型了要改掉是很困難的。

生物科技的進步已經直接影響到我們的生活了，我們吃的番茄皮很厚，使搬運時不易破損，這是青椒皮基因的功勞。帶有隱性基因的父母不必惴惴不安的等到嬰兒落地才知道他們有沒有「中獎」，現在的基因篩選可以很早就讓父母知道這個胎兒是否正常。一九九〇年科學家進行了第一個基因治療，將身體缺少的基因轉殖到病毒中再注射回人體。二〇〇〇年，科學家宣布他們找到DNA的序列，現正致力於這些序列的功能。書中列出人類基因圖譜的網站，讓有興趣的學生直接上網目睹全世界科學家每一天的工作進展（這是一個國際合作的大型計畫，台灣分到的是染色體第四號）。

現在大家一致認爲生物科技是二十一世紀的顯學，它的每一步進展都直接影響到我們的生活（食衣住行與健康）。這本書有很好的基本生物科技觀念，希望能使年輕學子產生興趣，以後投入這個領域。這是一門新興的領域，也就是說，我們是與國外站在同一條線上競爭，而不是在後追趕，對希望使台灣躍上國際學術舞台的人，這是一本很好的啓蒙書。（原載於《獨特的基因》，序）

8 順其自然的睡

一九六九年我去美國讀書時，教科書上還是說人不睡覺不會死；但是八〇年代教科書就不一樣了，因爲早期的實驗是將老鼠籠子的地板通上弱電流，老鼠一睡覺便把牠驚醒，做了二十八天老鼠沒有死，但是再做下去到三十二天時老鼠皮膚潰爛，毛髮脫落，死於敗血病。所以我們知道睡眠對生命的維持很重要，主要在免疫系統上。難怪我們出國旅遊大玩一陣後回家都會感冒，因爲我們旅遊時，睡眠不足，免疫力下降，細菌便乘虛而入了。

所以睡眠對健康很重要，對學習也很重要。許多對我們學習與情緒有重要關係的神經傳導物質，都是在第四階段睡眠時分泌的，如生長激素（somatotropin）、血清張素、正腎上腺素等。因此

書名：神祕的睡眠
作者：Trudee Romanek
譯者：張麗瓊
出版：天下遠見

父母若希望孩子長得高，晚上覺要讓他睡得飽；老師若希望學生上課學習效果好，晚上也是要讓他睡得飽，所以功課就不能出太多，睡飽了，才會有足夠的神經傳導物質供白天使用。從實驗中我們知道，「頭懸樑，錐刺骨」的古法念書沒有用，念書一定要在精神好、情緒穩定時才會事半功倍。而血清張素正巧與記憶和情緒都有關係，所以睡眠對學習非常重要。如果一定要開夜車，也要了解自己生理作用的情形，先去睡，將鬧鐘開早一個小時，早一點起床念。所以同樣是睡五個小時（半夜十二點到清晨五點或是半夜一點到清晨六點），但是半夜十二點到一點的讀書效果，不及清晨五點到六點。知識是力量，這是一個例子，知識讓你在與別人睡同樣的時數時，工作的效果比較好。

每個人睡眠的需求不一樣，有人長，有人短，這與個人的體質有關，父母不必太擔心。只是睡得少的人，他們白天常會偷個時間打盹，小睡個十五分鐘，很多人都很驚訝愛迪生一天只睡四個小時，其實愛迪生常常在累的時候，到家中一樓至二樓樓梯間內小床小睡一會，充個電。因此，我們不要太在意四平八穩的在床上睡多久，只要累了能夠立刻休息就好了。「順其自然」是個養身之道，累了去睡，不硬撐，醒了起來，不賴床，就不會發生便秘、火氣、頭痛之事了。

失眠是個很痛苦的事，幸好一般孩子很少有這個經驗。失眠時數羊、數數其實沒有什麼效果，不如起來找本喜歡的書看，或做做家事，身體累了自然會送訊息到大腦使你打哈欠，想睡。當然，如果第二天要上班，這個方式就不行，因爲晚上不睡，白天沒精神，會擔心被老闆開除。其實，愈是擔心睡不著愈會睡不著，不如「聽天由命」，告訴自己中午時隨便吃個三明治趕快去補睡就好。人偶爾睡眠不足是沒有關係的，你的身體自然會分批把失去的睡眠時數補回來。我們看到期末考開夜車的同學雖然三天三夜沒睡，考完也無法大睡三天，他們還是睡十個小時就醒了，但是他們之後的幾天會把失去的睡眠補回來。所以除非不得已，不要不睡覺；但是萬一失眠也不要心焦，順其自然的按照身體的需求做，一切會回復正常。

有一個迷思是睡不著喝杯熱牛奶就可以睡得著，其實是除了喝牛奶之外還得加兩塊餅乾或一片吐司，因爲澱粉類的碳水化合物可以轉化成血清張素神經傳導物質的前身，透過腦血屏障進入大腦使我們想睡。蛋白質反而不行。

只有嘗過失眠之苦的人，才會知道一覺到天明的可貴，外國人在就寢前常互道「晚安」（good night），其實是很有道理的，能安安心心的睡一覺，其實是許多人夢寐以求的事，願所有的讀者都能像蘇東坡一樣「不知東方之既白」。（原載於《神秘的睡眠》，序）

9 爲什麼運動完肌肉會痠痛？

我們今天能夠自由跑跳、上下樓梯、表演跳舞或體操，全靠我們的骨骼和肌肉的合作無間。因爲幾乎每一個人的骨骼和肌肉都是正常的，所以我們從來沒有停下來想想，假如這兩樣東西失常的話，我們的日子會多麼的痛苦難捱。我們在馬路上看到老公公、老婆婆拄著拐杖，辛苦的挪動腳步，我們也看到老人家關節腫大，痛風，嚴重時連進食都發生困難，看到他們，我們才會想到關節對我們的重要性。

同樣的，每個人都會呼吸，心臟會跳動，所以我們都不會想到這些正常運作的後面有多少的自動化歷程。比如說，美洲印第安人所用的吹箭上的毒藥就是使神經的指令不能傳到平滑肌。這

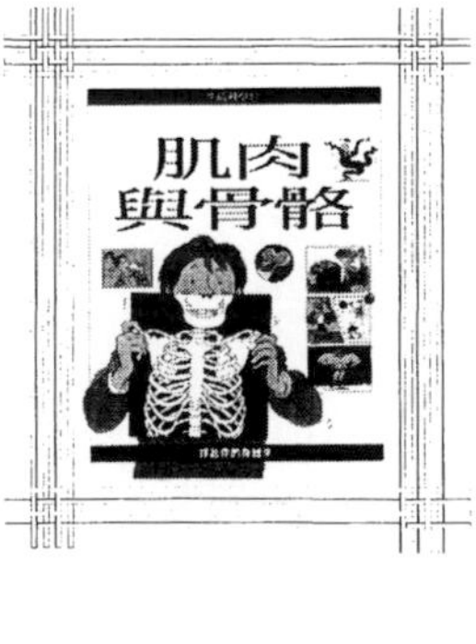

書名：肌肉與骨骼
作者：Rebecca Treays
譯者：張麗瓊
出版：遠哲科學教育基金會

種毒藥是印第安人從植物中提煉而來的，他們將箭頭浸泡在毒液裡，然後用管吹出，毒藥進入動物的血液，阻止了神經突觸內乙醯膽鹼（acetylcholine）的活動，使神經的指令不能傳到肌肉，動物於是痲痺不能呼吸，窒息而死。由這個例子我們就知道不隨意肌的重要性了。

人體電池是《肌肉與骨骼》這本書中一個很有趣的章節，它告訴我們如果沒有腺嘌呤核苷三磷酸（ATP）的話，人體的肌肉就變成廢物，我們在有氧呼吸的時候肌肉從空氣中取得氧，利用氧，使食物與氧起反應而產生腺嘌呤核苷三磷酸，這些能量使我們能夠做爬樓梯、走路、跳舞等日常生活的活動。但是假如運動太激烈，心臟無法運送那麼多的氧到肌肉去，這時候肌肉更只好在無氧狀態下製造出腺嘌呤核苷三磷酸。此時無氧呼吸所產生的毒素就是乳酸，它儲存在肌肉中就會使我們疲勞，全身痠痛，無法動彈，這是爲什麼參加完運動會，第二天會很累抬不起腳來。不過長跑選手，如馬拉松選手，他們必須經過特殊的有氧訓練才能使血液中的氧量及能量持久，他們不能像短跑健將一樣用無氧呼吸的方式，很快的爆發出能量但也很快的製造出乳酸來讓肌肉無力，使自己落後。

看了本書之後，小朋友就會了解爲什麼運動完肌肉會痠痛，爲什麼馬拉松的選手可以持續跑這麼久而自己不可以了。

這本書帶給小朋友很多一般書本上所沒有的正確知識，例如運動讓人肌肉變大並不是表面上看到的原因，它是運動後的復原過程使肌肉變大的，因爲運動使肌肉的收縮頻繁，使肌細胞產生化學反應，這使身體產生壓力，所以身體便使肌絲變厚，很像健美先生了。

我一直認爲台灣的自然科課本只有教現象，而沒有教爲什麼有這個現象出現的原因，不知道原因，我們對一個現象就不可能眞正的了解，也就不可能更進一步的創造發明。這本書雖然薄薄一小本，但是它都有把背後的原因或爲什麼講出來，我想科學的精神就在這個追根究柢的過程裡面。目前的學生有只要知道結果，不想知道導致結果的過程的心態，我覺得這是很危險的。不知道過程就不會有改進，我們永遠只能用別人的成品而無法自己創造發明。遠哲基金會還有很遠的路要走，讓我們共勉之！（原載於《肌肉與骨骼》，導讀）

10 你看到的比你眼睛看到的更多

感覺器官是我們了解外界事物與外界溝通的管道，也是我們和別人互動的配備，對人類來說，當然非常重要。所以了解我們自己感覺器官如何運作，是一個現代人必備的知識。但是我們的學生對這一方面的知識偏偏非常的缺乏。許多青少年，整天戴著隨身聽，將耳機塞入耳朵之內，聽重金屬（heavy metal）的流行音樂，直接以高於一二〇分貝的巨大音量疲勞轟炸聽神經。也有人將汽車內音響開到聽不見外面警車的警笛，不知道警察要他停車而讓警察以為他拒捕。許多搖滾樂團演奏時，將擴音器音量調到最高點，震天價響，十里外都聽得見。

這些年輕人都不知道聽神經受損是一個「不可逆」（irreversi-

書名：感覺
作者：Rebecca Treays
譯者：廖瑞娟
出版：遠哲科學教育基金會

ble）的事，它就像死亡一樣，人死不能復活，耳聾了也無法使它再聽得見。長期暴露在一二〇分貝以上的噪音環境裡，聽力是一定會受損的。想到他們以後再也聽不見春天的第一聲鳥叫，夏天的蟬鳴，就很替他們惋惜。

同樣的，同學也不太知道眼睛的重要性（雖然對眼睛的認識比對耳朵好多了，但仍然不足），我常看到學生做化學實驗不戴護目鏡（goggles），眞是替他們捏一把冷汗。我自己念書的時候，曾因未戴護目鏡（那時根本沒有這個東西），氨水瓶爆炸，傷到左眼，使我的左眼弱視。有了這個切身之痛的經驗，我今天特別關心學生有沒有這方面的知識，因爲只有了解自己感官的運作以及失去功能後的情形，大家才會愛惜自己的感覺器官。

教育眞是最重要的一件事。有了知識，人們便不會做以後會後悔的事了。對於知識的傳播，遠哲基金會盡了很大的心力，他們了解學習是一個主動的歷程，如果不能引起兒童的興趣，使他們主動想發問，想尋找答案，一切的力氣都是白費的（想到以前老師在台上講的聲嘶力竭，我們在底下睡得東倒西歪，就深切相信只有引起學生的興趣才能將知識傳播出去）。所以這本《感覺》是以一種類似漫畫休閒書的方式，將一些基本的生理知識傳授給學生，讓他們知道各種感官怎麼運作，以及感官受傷失功能後會有什麼樣的不便。了解失去功能的可怕，便不會做一些傷害它的事了。

我們的神經系統是個很有趣的系統，不管外面的物理能量是光度、聲音或是壓力，我們感覺器官的感受體都可以把這些物理刺激轉換成電的訊號，使大腦的各個部門都聽得懂。這個感受體細胞的作用就好像機場換錢的地方，不管你是從哪一國來的（視覺的、聽覺的、觸覺的）都要換成國內通用的貨幣（電的）大腦才可以了解，大家才可以溝通。假如大腦皮質神經通道出問題，我們就會產生各種感官上的失功能。書上舉出許多腦病變的例子，如視神經完好而視覺皮質損傷的「盲視」（明明説看不見你給他看的是什麼東西，但是假如強迫他從一堆東西中隨便選一樣，他常會選對）。我們所有的感覺訊息全部都送到大腦做解釋，所以雖然視神經完好，但是處理這些完好的訊息的地方壞了，也是一樣看不見。（這是爲什麼騎機車一定要戴安全帽，以保護大腦。大腦壞了，雖然手腳完好也是不能動。）

這本書有一段特別強調我們只看到我們想看見的東西，它的標題很有趣，叫做「你看到的比你眼睛所看到的更多」（more than meets the eye）。的確，日常生活中的各種錯覺，都是因爲大腦對感覺器官送上來的訊息作了錯誤的解釋而發生的。爲什麼大腦會作出錯誤的解釋？因爲大腦是個演化而來的東西，它根據過去累積的經驗行事，經驗的準則是在大多數的情況下行得通，例外時行不通。偶爾，經驗法則也有碰壁的時候！這個現象發生最主要的原因是大腦對訊息的處理是一個上、下一起進行的方式，下面（感覺器官）陸續把訊息送上來，大腦在接到一部分訊息但尚未全部收錄完畢之前便開始進行分析，這時，過去的經驗就非常有用了。因爲它幫助大腦形成假設「上」的假設主導了「下」的搜尋，所以我們常看到我們要看的東西。

這也是心理學中所講的「情境效應」，明明是同一個物理刺激，如書中的B，它會因它的左右是AC而看成B或上下是12、14而看成13。這個B投射到我們視網膜上的影像是一模一樣的，卻因旁邊的情境有所不同而造成我們對它有不同的解釋。明瞭這一點，我們對別人無心的過錯應該比較可以原諒；或是說，我們應該比較寬宏大量，接受不同的看法。因爲雖然是同一個事實，各人的大腦經驗不同，他們的情境解釋也不相同，自然認定的事實也會有所出入。

本書另一個很好的章節是有關手語的。手語在我國有著很大的誤解，它其實是一個有詞彙、有文法的完整語言，並非一般人想像的比手劃腳。國外曾有許多的研究指出語言是啓動兒童心智一把很重要的鑰匙，一個生長在聾啞家庭，從小就使用手語的孩子，他的認知發展比五、六歲進學後才學手語的孩子來得快。對於不幸耳聾的孩子我們應該及早教他們手語，以利他們智力的發展。尤其中文是個聲調的語言，光憑讀唇小孩子如何分辨得出「爸爸看報紙吃包子」這個句子？

其實現代人生活的空間愈來愈窄，許多人必須在同一個空間辦公或讀書，如果我們會手語，對別人工作或讀書的干擾會少一些。我前面一再提到噪音，在現代的社會裡，每個人都飽受噪音之苦，精神科門診中有許多是精神衰弱症的人，我們有責任教導孩子在公共場所輕聲細語，盡量不干擾別人。我覺得多學一樣手語不但可與聾啞同胞溝通，在噪音很大的場所，用手溝通遠比喊破喉嚨別人還聽不見輕鬆得多。

在味覺方面，本書指出一個很有趣的現象：對於有毒的東西我們通常是嚥不下，因爲太難吃了。其實動物都有一種演化而來的本能，就是對於沒有吃過的東西非常的小心，不敢多吃，一次吃一小口，過一陣子看來沒事後，再回去吃一口，一直到牠確定這個食物無害後才拖回巢穴吃。一隻小動物從小跟隨父母吃這種食物的話，長大也不會排斥它。我們會想念小時候吃的東西，長大後雲遊四海，雖然也吃過很多美味的食物，但是它們在你心目中的分量還是不等同的，因爲小時候的食物還伴隨著安全感的情意成分。

在痛覺方面，因爲坊間有許多錯誤的訊息，所以本書變得特別重要。痛覺是大自然給我們的一個警報系統，告訴我們這裡危險，趕快離開。我曾經很羨慕沒有痛覺的人，以爲他們一定是無憂無慮過一生，因爲即使病也沒有痛。直到有一天我在急診室中看到一個小朋友，切蘋果切到手指頭的骨頭露出來。一般人一切到手感到痛，立刻會把手指頭縮回（這是反射反應，直接由脊髓下達縮回的指令），但是這個小朋友因爲沒有痛覺，所以他繼續使力，直到切到骨頭切不動爲止。看到這一幕，我才恍然大悟，了解自己是「人在福中不知福」。

其實大自然非常了解，假如我們已經知道危險了，想要逃走，但痛得厲害不能動彈時，這個痛的警訊反而會誤事，不但沒有使你生存得更好，反而使你不能達到演化中最重要的目的——把你的基因傳下去。因此，大腦在緊急時會分泌一種類似嗎啡的腦內啡（endorphin），使你暫時不感到疼痛，可以逃命。戰場上的士兵，常常是逃到安全的地方後才發現自己中彈了。這個腦內啡並不是心情愉快就會分泌的，它也不能殺死癌細胞；相反的，它出現會抑制免疫系統的活動，反而是助長癌細胞，它也不是在右腦占優勢時分泌出來的，更沒有任何根據指出「右腦的文人最長壽」（以上爲春山茂雄的暢銷書《腦內革命》中的話）。

我國因爲科學知識不普及，再加上一般人都有一個非常錯誤的觀念，以爲科學實驗就是一定精確無誤，鐵一般的不動如山，不曉得科學的進步就在於它的理論可以被推翻，實驗可以被反證，沒有一個科學家敢大聲的說他的實驗一定是對的，他只敢說，在目前這個階段，他的理論是最可以解釋所有的已知現象的。但是在台灣，我們非常相信權威，只要是學者專家講的話，國人都毫不猶疑的接受所有掛著「科學」招牌的訊息。於是我們看到國人大把大把的吞食褪黑激素（melatonin），喝小麥草汁，吃苜蓿芽，養紅茶菌，相信小麥胚芽中的吉貝素可以延年益壽，吃免疫鷄蛋可以不生病。

當我們看到婦女爲了想生男孩每天吃檸檬，就因爲科學家發現帶Y染色體的精子在鹼性環境中會領先帶X的精子，使受精卵是XY染色體變成男孩時，我們眞是忍不住要問：我們的科學教育教到哪裡去了。食物吃下去會經過身體的消化吸收分解成酸性或鹼性的代謝物，這個雖然會影響到血液或體液酸鹼值的變化，但是身體能夠正常運作很重要的一點就是酸鹼值是平衡的。酸鹼平衡，人體的酵素才能正常運作。如果想當然耳的解釋科學家的話，不但不會生男反而會生病，因為酸鹼不平衡了。

所以培養正確的科學知識——更重要的是「知其所以然」的科學態度——是一件刻不容緩的事情。我們不但要傳授學生知識，更重要的是告訴他們背後的「為什麼」。知道一個現象的成因，就不會再犯像上面似是而非的想當然耳錯誤，也只有在知道原因後，才有可能向前推，科學才能進步。

在這個速食文化的社會裡，遠哲基金會願意慎重其事的將文稿送給專業人士審訂，是一件值得敬佩的事。對於知識的傳播我們抱著戒慎的態度，尤其是還沒有是非分辨能力的小朋友，我們力求正確。因為一旦錯誤的概念形成後，要糾正過來可能要大費周章，甚至要費九牛二虎之力都不見得改得過來。

這是一本很基礎的生理知識簡介書，裡面的插圖也很風趣，我們希望能在一個輕鬆的環境下，將重要的知識傳給學生。在大家一擲千金喝紅葡萄酒的時候，我希望父母能看到這本書的價值，花葡萄酒十分之一的價值投資到你的孩子身上！（原載於《感覺》，導讀）

11 老化的奧秘

長生不老是每一個人夢寐以求的事，尤其是我們中國人，生活一開始有改善，過得去以後，每個人就開始補身體，不但冬令進補，還出國注射胎盤素進補，中國人眞是隨時隨地都在進補身體，想要延年益壽長生不老。大家對長生不老這麼有興趣，但是對這一方面的知識卻是出奇的少。

在學校的「體育與健康」領域中或是國中以後的「生理衛生」課堂中，對於人體的機制談到的非常少，以至於我們的高中生對自己的身體與生理機制的知識，幾乎等於零。我曾經問一個大學生，爲什麼眼角膜移植不像其他器官移植那樣，要配對捐贈人與受贈人彼此的相容性，他搖搖頭說課本沒有寫，而他是保送的生

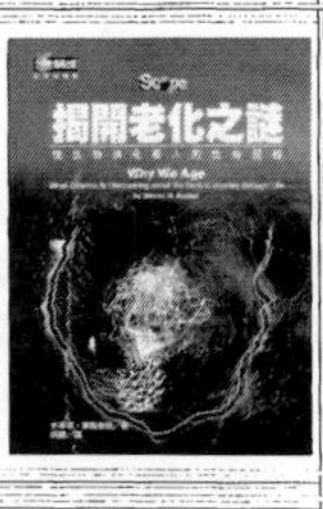

書名：揭開老化之謎
作者：Steven N. Austad
譯者：洪蘭
出版：商周

物資優生。這件事使我感到宣導與生活有關的正確有益的知識的重要性。

在市面上衆多的養生之道、祖傳秘方書籍中，我看不到一本比較科學性，眞正從演化觀點、從生理機制、從細胞的層次討論人爲什麼會老的書。因爲沒有正確的知識，所以我們的國民容易被騙、上當，做出愚昧的事情。我們的知識分子會相信妙天，我們的老百姓在生病後不去看醫師而去喝符水或香灰水，我曾經親眼看過台灣的採購團來到美國，把商店架子上所有的善存（Centrum）一掃而空，我那時心中非常的猶豫，不知要不要多管閒事，告訴他們維他命是不可以多吃的，多吃了有害；而且藥物是有製造日期的，過了期效力就差了，有時甚至就不可以吃了。在我猶疑的當兒，他們又把所有的維他命E一掃而空，每個人臉上都露出喜悅的笑容，因爲這裡比台灣便宜許多。

我目送他們滿載而歸，心中無限感嘆，國人迷信補品，認爲補品愈多愈好，孰不知萬物過猶不及都是不好。對於健康的知識或是更正確一點的說，對於人體如何運作，我們其實知道得很少，所以常會想當然耳的做一些自以爲是的事。例如今天早晨起床，頭有點暈，就吞兩顆多種維他命補一下身體的「虛」；報上說維生素E美容養顏，就大把大把的當糖吃；有一陣子，大家都在吃胡蘿蔔素，因爲據說可以抗癌，所以街上很多人皮膚都泛黃。更離譜的是褪黑激素剛上市時，一罐難求，藥廠做來不及賣，因爲有人說它可以返老還童，防止老化，於是大家全力搜購，熱中得不得了。

對於這些現象我是一點辦法都沒有，因爲教育不是立竿見影的事，它需要長期的耕耘，慢慢的教化。所以思前想後，覺得唯一可以做的事就是翻譯書，把正確的訊息陳列出來，讓有心人去讀。在這個繁忙的社會裡，唯一可以無遠弗屆的把訊息正確地的傳到大衆手中的就只有靠書。所以我積極的找有關這方面科普的書，它一方面要有科學的根據，所說的每一句話是根據實驗的結果，不是隨便臆測，信口開河；另一方面它必須深入淺出，讓所有對老化有興趣的人，包括識字不多的阿公、阿媽，都能夠讀得津津有味，把訊息吸收進去。這種書實在難找，找了很久都沒有合意的。在偶然的機會下，商周的彭主編送了一批書讓我選，我一眼就看上這本書，立刻放下手邊所有的事，廢寢忘食的在一個月之內把它翻出來，每天等不及天亮，好趕快起床來翻譯。因爲到我現在這個年紀，雖然每天活得很愉快，不知老之將至，但是就如作者在序中所說的，你怎麼可能對天天照鏡子所看到的現象不感興趣？

這本書一開始就告訴我們，那些長壽的傳說不可靠，驗證了我以前對這些傳說的懷疑，奠定了我認爲它是一本科學性書的基礎。有了這個偏見再讀下去就愉悅很多，更何況作者奧斯泰德（Steven N. Austad）是一位比較動物學的教授，在提出問題時都列舉實驗證據以支持理論。在商場上或股東大會時，我們常說「讓數字說話」，其實在行爲科學上我們更需要讓數字說話，「男人是否眞的比女人老得快」這個問題，不需怒髮衝冠咬牙切齒的拍桌子辯論，只要把數據拿來用統計方法去除工作壓力等變項的影響後，再來看剩下的變項中哪一個最能解釋男女壽命上的差別就曉得了。科學提供我們一個超然的立場來看與人有關、比較容易情緒化的問題，這本書最大的好處就是，作者用科學化的方法處理一個非常情緒化的「老化」議題，使你在讀老化這個題目時，一點都不覺得沮喪，反而覺得很驚訝，原來這裡面有這麼多奧秘，原來生物演化論可以應用在這個地方！

看到作者爲了做實驗，去到新幾內亞，染上瘧疾，三不五時發作一下，他自嘲是博士學位的副產品，絲毫沒有怨恨的意思，我想起來我去加州沙漠做沙漠跳鼠（kangaroo rats）的研究時，一隻響尾蛇盤踞在我行軍床底下，嚇得我魂飛魄散，從此改行，研究沒有危險性的東西（我改行研究人以後，才發現人比響尾蛇危險多了），作者的研究精神是很值得敬佩的。也因爲他自己是研究者，寫出來的東西很能直搗黃龍，馬上點出問題的重心，沒有冗詞贅語，讀起來很痛快。又因爲他有良好的哲學基礎，很多問題採辯證的方法，讓你在辯論的過程中發現眞理。就這一點，我特別希望我們的大學生看這本書，學習這個方法。辯證法在我國的教育中是很缺乏的。

中國人非常忌諱談老化，談死亡，其實從演化的觀點看，老化和死亡是非常自然的事，和日月星辰、春夏秋冬的交替是一樣的。假如我們能夠有意義的度過一生，在我們離開人世時，回想一下，這個世界的確因爲我的存在而變得更美好一點，這就很足夠了，我們明瞭自己沒有虛走一遭，這就雖死無憾。人總是要死的，這是規則，不是例外，雖然不敢希望每一個人的死都能夠重如泰山，我希望在看過這本書之後，我們能夠了解大自然的運作規則，人與其他萬物相較只是自然界中的一份子，自己只是百代的過客而已，應當懷著感恩的心，過自己的一生，對於該來的坦然接受它，讓自己的一生過得無怨無悔，走的時候，揮一揮衣袖，不帶走半片雲彩，留下的是我們智慧的結晶。

本書作者說得很對，看完這本書後，你一點都不會覺得沮喪；相反的你充滿希望，你知道什麼是該來的、逃不掉的，你也知道什麼是你的行爲可以控制、改變的。我們可以運用我們的智慧，從能夠控制的地方著手改變那不能控制的，我認爲，這是人類智慧最高的表現！

（原載於《揭開老化之謎》，譯序）

12 世紀殺手追追追

一個好的科學研究就像偵探小說，科學家對準問題的中心，一路追蹤下去，剝繭抽絲，一直到最後眞相大白、大功告成。在追蹤的過程中，時而碰壁，時而雀躍，這種高潮起伏的心情，是一個科學家廢寢忘食、投身研究的主要原因。但是這個精彩的內容往往不爲人知，因爲科學家常缺乏一支生花的妙筆把它描繪出來，因此這種具有人文色彩的科學書就變成可遇而不可求，像華生（James Watson）所寫的《雙螺旋》（*The Double Helix*，中譯本時報文化出版）就是這樣的一本膾炙人口、歷久不衰的書。

《尋找第一個愛滋病毒》也是像這樣的一本好書，生動的描繪出找尋愛滋病的源頭時，上窮碧落下黃泉的情形，全球五大洲

書名：尋找第一個愛滋病毒
作者：Jaap Goudsmit
譯者：洪蘭
出版：遠流

三大洋都翻遍了，精彩萬分。我想把它翻譯出來的另一個原因是這種書還有教育性，它教育社會大衆對病毒，甚至整個生態的正確觀念，我們常說：「只有一個地球」，但是我們的所作所爲都與它相悖。所以在這種考量下，我決定把它譯出來。

我以前一直很好奇，難道古代沒有癌症？爲什麼以前都沒聽說過什麼皇帝死於癌症，現在才這個癌、那個癌的，大家談虎變色？同樣的，在愛滋病大流行時，我也很奇怪難道以前沒有這個病毒，一九八〇年代以後才突然從地底下冒出來，成爲世紀殺手？這個疑惑在我心中放了十幾年，一直到讀到這本書才恍然大悟，原來太陽底下眞的沒有新鮮事，它是舊的病毒披上新衣，從動物身上跑到人體內來作祟了。它的歷史可以一直推到埃及法老王時代，科學家甚至到大英博物館（The British Museum）找金字塔中陪葬的猴子木乃伊來看看當時這個病毒是否就已存在，其過程之精彩絕不輸於任何一本偵探小說。

但是我想把它譯出來的原因還不僅是因爲它很精彩，我主要是要讓學生看到什麼叫科學的精神，以及爲什麼科學家要讀很多他本行以外的書，要有很廣的知識。

一個科學的研究最困難的部分便是問問題，問對問題就等於把問題解決了一半。因爲有問題才知道往哪裡找答案。比方說，假如愛滋病在一九八〇年以前就有的話，我們應該可以從文獻中找到一些零星病例，它可能不叫愛滋病，但是它的症狀可以讓我們知道它的存在。因爲愛滋病者往往死於一些本來不該致命的普通毛病，例如水痘或卡氏肺囊蟲（*Pneumocystis*

Cartinii）所引起的肺炎。

凡是不尋常的事，便會引起科學家的好奇心，因此說不定會有人把這些病例特別記錄下來。果然，在一九六六年時，曾有一個挪威水手因淋巴腺腫大去看過醫師，一九七一年時，醫師從他的淋巴腺上取下一個切片，這個切片後來被證實呈人類免疫不全病毒（HIV）陽性反應。（幸好科學家常把疑難雜症放到冰庫中保存起來，期待後人知識進步後可作分曉，這個切片保留了十幾年，提供我們第一個確切的病例。）這位水手在七六年四月死於卡氏肺囊蟲肺炎（PCP），但是他在死前感染了他的太太，他的太太在他死後八個月也相繼死亡，徵狀與他非常相似。他們的孩子在六七年出生，二歲時就不斷感染到各種疾病，七六年一月死於水痘，這是第一個毀於愛滋病的家庭。因爲這個水手從來沒有去過美國，所以這個病例推翻了愛滋病是從美國傳到歐洲的說法。那麼，這位水手身上的病毒從何而來？水手走船，飄泊天涯，追踪的結果，發現他去過非洲的喀麥隆。

果然，科學家發現在非洲除了喀麥隆之外，在維多利亞湖西邊的烏干達和坦尙尼亞交界地方，還流行一種當地人稱之爲「瘦病」的疾病，患者體重遽減，腹瀉，發燒，最後虛弱死亡，這些病患的血液都呈HIV陽性反應。

現在科學家再問一個問題：假如HIV是從非洲開始的，它爲什麼會開始？喀麥隆有什麼特別的動物可以把這個病毒傳染給人類的嗎？科學家化驗了許多動物的血清，尋找HIV

的蹤跡，結果發現黑猩猩身上的猿免疫不全病毒（SIV）與人類的最相似。科學家利用病毒基因比對的方式發現，SIV在黑猩猩身上已經存在了幾千年。假如我們的病毒是從黑猩猩而來，那麼黑猩猩的病毒又從何而來呢？

科學家研究黑猩猩的自然生態，發現牠們喜食猴子（很多人都以爲黑猩猩是素食者，其實牠是肉食），黑猩猩有可能在捕食猴子時被猴子抓傷，感染到這個病毒。那麼猴子是否有這個SIV呢？在埃及金字塔的壁畫上，描繪一對夫婦，男的椅子底子有一隻猴子，女的椅子底下有一隻貓，表示在四、五千年前，猴子和貓已經做爲家庭寵物了。在紐約的大都會博物館（The Metropolitan Museum of Art）中，也有一尊米索不達米亞的象牙雕刻，一個非洲人肩膀上站著一隻猴子，手上抓著一隻羚羊，顯示五千年前，人們就養猴子做爲寵物了。假如牠們是寵物的話，很可能被作成木乃伊陪葬，我們應該可以在博物館或古墓中找到五千年前的猴子木乃伊，從它們身上取下一些DNA化驗，尋找這個病毒的蛛絲馬跡。

現在認爲這個病毒已經存在於地球上五、六千年，或更久，而且猴子身上的很可能由貓所傳來，因爲在另一個三千年前的古墓壁上看到一幅貓與猴子在皇后龍座底下打架的壁畫，而野外的大貓科動物（如獅子）身上也有這種病毒。

本書的八、九、十章就是在講這個追踪的過程。或許有人說，爲什要浪費精力去管它是哪裡來的呢？眼前有愛滋病的問題，爲什麼我們不集中精力治療愛滋病就好了？這種問題是我常常碰到的，它反映出目前我們在台灣社會中最常見的現象：急功近利，只顧眼前，不管過去，也沒有未來。或許是我們的政令一夕數變，讓我們的年輕人覺得只有現在才最眞實，其他都是「說不準」學。但是這種只顧眼前的態度在科學上是不會成功的，我們都知道要了解一個人必須了解他的過去，過去的行爲是預測他未來表現最好的方法，對病毒也是一樣。當醫師對愛滋病束手無策時，我們只有把它埋藏的根刨出來才知道它是何方神聖，就像《西遊記》裡的妖精一樣，孫悟空一旦探訪出這個妖精的本相，他就有辦法請來他的主人翁破它的魔法，收拾它了。

所以最後兩章談的就是如何發展 HIV 疫苗將病毒繳械。但是本書最主要的精神在告誡我們，當我們濫墾、濫用資源時，大自然是會反撲的，當人類一直削減猿猴的生存空間，牠們身上幾千年來相安無事的病毒會跳到人身上來，造成人類的浩劫，因爲病毒也要求生存。

最後，我要談一下爲什麼學生要有豐富的背景知識。科學上最有力的證據是輻輳的、殊途同歸的證據；是從各個不同的領域所得到的相同證據。本書作者高史密特（Jaap Goudsmit）這位荷蘭的醫學院教授，引用非常多考古學、人類學上的知識幫助他尋找病毒演化、遷徙的路線。比如說，他發現最古老的猿猴病毒來自印度和印尼，最古老的腫瘤病毒（HTLV-1）來自東南亞。目前的資料顯示是亞洲彌猴把病毒帶給現在住在玻里尼西亞和美拉尼西亞群島上的人，但是這些島上並沒有猴子，所以，唯一的可能性是這些南太平洋島民的祖先和彌猴的祖先很早以前曾經一起在亞洲大陸上居住過。在那裡，島民的祖先被 HTLV-1 的祖先感染過，後來板塊分離，猴子來到爪哇、蘇門達臘，而被感染的人類到了南太平洋的島上。

這個說法有沒有證據呢？我們知道日本從北方北海道的蝦夷人到南方沖繩島的琉球人身上都有 HTLV-1，但只有九州的人會得病（罹患成人T細胞血癌），北海道從來沒有猴子，那裡的病毒一定是人帶過去的，不可能是猴子。作者又從考古人類學的研究中知道，牙齒的比對可以畫出人類的遷徙圖，亞洲太平洋的人可以分為巽他人（Sundadonts）和漢人（Sinodonts），這兩種人都是蒙古種，但是牙齒的不同使他們分成兩支。巽他人比較古老，是非洲人的後裔，他們從非洲移民到巽他陸棚（Sunda Shelf），這些人曾經與亞洲獼猴一起居住在古老的亞洲板塊上，後來才遷徙到日本和太平洋各島。從牙齒的證據，我們知道蝦夷人和琉球人是巽他人，九州人是漢人。所以當海水上升，這些島嶼被分離後，我們現在只在古老的日本人後裔身上看到 HIV-1，九州人因為人種不同，身上的病毒也不相同。病毒的歷史和人類遷徙的歷史不謀而合，這種研究眞是漂亮極了。這個例子告訴我們一個科學家的背景知識要很雄厚，才可以從各方面蒐集可以幫助他佐證的資料。

我們一直說二十一世紀是個科際整合的世紀（事實上也是如此，上面的例子就是最好的證據），但是我們的教育還是停留在上一個世紀，各科系各自為政，學生鮮有機會接觸到外系的東西，更不要說拿別人的研究心得幫助自己下結論了。病毒這個題目一般人看起來可能只是病毒學家的事，但是這本書中有非常多人文地理的章節。病毒是沒有腳的，它要離開原產地必定要借重宿主，我們看到歐洲的殖民主義和重商主義將愛滋病毒帶出非洲熱帶雨林，將腫瘤病毒帶出亞洲。像這樣的書，我認爲它是人文科際結合的書，是一本眞正科普的書。當老師在台上唇乾舌焦的講生物的多樣性時，他不妨叫學生回家看一下本書的第八章，在某一個演化的叉路上，靈長類的病毒選擇了多樣性，這個可以和別的病毒重新組合的能力，使人類的免疫系統招架無力，使愛滋病毒變成人類的浩劫。

看完這本書，我相信任何人對演化都有深刻的了解，對大自然有敬畏之心。優勝劣敗是一個連續的過程，它不停的轉變，不斷的改變方向，當天災人禍發生，環境改變時，以前的贏家會突然從寶座上掉下來，被淘汰出局，就像當年的恐龍一樣。

本書一再告訴我們，對病毒來說，生命的意義就是生存和傳播，它只尋求最有效的生殖和傳播方式，它沒有道德規範，病毒只要活到下一代出生即可，宿主（人類）卻必須活到他的下一代成人才成。我們現在是靠科學來維持人與病毒之間的平衡，但科學不是萬能，傳染病的發生，有時「人爲」比「天意」的成分還大。人類的無知，是我們今天嘗到惡果的主要原因。「往者已矣，來者可追」，如何提昇全民的知識水準是刻不容緩的事。今天不做，不是明天會後悔，而是今天不做，怕沒有明天了！（原載於《尋找第一個愛滋病毒》，譯序）

13 海洋：生命之母

人是從水裡來的，所以我們身上現在還有七〇%是水，如果脫水我們會死；更因爲我們是從海洋中來的，我們至今眼淚是鹹的（聽說人肉也鹹鹹的，不過這個沒有證據）。我以前念書時對胚胎初期的小鷄、兔子、烏龜長得都一模一樣，感到非常的驚奇。後來發現人類的胚胎在初期時居然還有鰓，更是覺得不可思議，不能想像億萬年的演化歷史，在短短的十月懷胎中又再走過一次。

我對生物演化的興趣一直很濃厚，進書店就會去找這方面的新書看，但是大部分這類書寫得都很艱深，一大堆專有名詞，使得一般的讀者只能望門興嘆，不得其門而入。二〇〇〇年，遠流出版公司送來這本《水中傳奇》，問我要不要爭取版權，我一看

書名：水中傳奇
作者：Carl Zimmer
譯者：洪莉
出版：遠流

就非常喜歡，終於找到一本科普性質的專業書，可以將人如何演化出腳與手，又失去魚鰓，再將身體變爲恆溫動物來到陸地生活等情形淸楚的敍述出來。有關這一段演化史的介紹國內非常的缺乏，更不要說老少咸宜的好書了，所以決定推薦翻譯出版，並請陳立人博士做本書的審訂人。感謝他的用心，使這本書達到我心目中信、雅、達的要求。

我在醫學院上課，常有學生來問人類的雄性生殖器官爲什麼要放在體外，接受不到骨骼和肌肉的保護，（學生打球時，那裡常會受傷，疼痛不堪，不免抱怨造物者爲何沒有事先想好再做，竟然讓重要器官暴露在外，讓別人可以偷襲。）我的解釋是：精子在高溫下不易存活，人的體溫在三十七度左右，對精子來說太高了，所以精子必須在體外透透空氣才會有活動力，主角要出來，其餘的配角只好跟著掛在體外。

但是我心中一直對海洋中哺乳類可以將牠的器官安排在體內很疑惑，不知牠們是怎麼弄的。以恆溫動物來說，增加體溫容易，散溫不容易，所以夏天常有人中暑昏倒，這也是爲什麼熱帶雨林中的人都矮小（如非洲侏儒黑人俾格米人只有四呎高），因爲他們生長的環境溼度常到百分之百，使他們身體散熱不易，如果長得高（身高增高一倍，體積增加八倍）體熱散不出去，他們就會中暑而死。這本書讓我知道鯨豚原來是尾部的血管演化出散熱的方式，使牠們的雄性器官可以留在體內。而牠們之所以費盡周章將生殖器官留在體內，主要是爲了在海中最省力的游泳，牠們的身體必須像魚雷那樣兩頭尖、很光滑的線條，才最能減少水的阻力，增加游泳的速度，所以雄性器官不適合掛在體外。這本書幾乎每一章、每一段都讓你驚嘆，原來演化有如此神奇的安排。

生命的構造是如此的精緻，讓人誤以為它是量身打造、精心設計的，本書告訴你演化不是另起爐灶的創造，它像個貧戶人家，將原有的東西修修補補，湊合著用（所以有人稱演化為「tinker」補鍋匠）。但是細胞是個有生命的東西，只要有生命，就可以學習，所以久了自己就發展出一套好用的方法，傳子傳孫。比如眼睛原來一個感光度比較好的上皮細胞，這一點點的感光度很可能就使這個生物的存活率比別人高，於是將這個基因傳了下來，幾千萬年以後就形成眼睛。所以我們在教「視覺」這一章，時常問學生為什麼人的眼睛要有盲點，這麼重要的器官（可以說是與生死存亡有關的器官）怎麼容許它出現盲點，使敵人入侵時失去發現的先機？原因就是眼睛並非特意設計出來讓我們偵察敵人的，它是慢慢演化出來的。視網膜可以說是由裡到外倒著長的，視覺感受體在最後，所以視神經血管等得從視網膜中打個洞才能出去，將訊息送到大腦皮質。血管中有血液，血液會跳動，因此盲點上不能有感受體，不然我們看到的世界就不會這麼穩定了，盲點就是演化一個不得已的措施。

事實上，人體有很多器官原來的功能不是做這件事，借調過來做以後，做得太好就不放它回去，長久的留任下來了。也有一些器官雖然退化了，但是還有一些作用。盲鼴的眼睛已經退化到連瞳孔都沒有，因為牠一輩子都住在黑暗的地底下，不再需要用到眼睛；但是眼睛還是有作用，因爲牠的生理時鐘還是要靠光亮與黑暗的週期變化來決定荷爾蒙調節、醒和睡的時間以及生殖週期等。盲人也是一樣，眼睛雖然看不見，還是可以感受到光，知道天亮了或是屋內點燈了。（不然爲什麼宿舍中，室友開夜車，燈光就會干擾你睡眠呢？你不是也閉了眼睛想睡覺嗎？）

這本書最讓我感動的是，演化眞的是在關掉一扇門時就開出一扇窗來。魚在變瞎時，牠身體的側線已經敏感到可以探測幾百呎以外的動物。天眞的是無絕人之路，失去與獲得對演化來說意義是一樣的，都不過是變化罷了。了解這一點，我們便可以平心靜氣地接受生命的挑戰。

本書提到很多科學家，不畏辛苦、不顧生命安全，冒著大寒大暑、叛軍內戰等危險到各地作研究，爲的是興趣和科學求知的精神，這點値得做後輩學生的楷模。尤其是書中描寫研究哺乳類如何游泳的費雪（Frank Fish），花很大功夫拍攝水獺、海豚、海豹、麝鼠各種動物游泳的影片，再慢動作一格一格的檢視牠們腳動的步驟，歸納出游泳時的流體力學原理，眞是了不起。我自己做過一小段慢動作手勢的分析就已經吃不消，他竟然作了一輩子，這種吃苦精神令人敬仰，也讓我們在讀到這些報告時肅然起敬，沒有他們的奉獻，人類文明的進步不會這麼快，因爲我們的確是站在他們苦心堆積起來知識的肩膀上，才能看得這麼遠。

第八章是我非常喜歡的一章，讀到它時，一直想到《水滸傳》裡的「浪裡白條」張氏兄弟。以前只覺《水滸傳》描寫得好神奇，人怎麼可以在水中過得像陸地上一樣悠遊自在，現在知道了，人原是水中來的，只是上了陸地演化出手和腳而已，難怪如此自得。鯨則是又回到海洋，牠的身體內還有退化了的腿和腳，所以牠是哺乳類，與其他的魚類不一樣。我有時在想假如我們把鯨叫成海豬，大概可以減少一些小學生學習時的困惑，小學生覺得既叫魚，又生活在海中，如何沒有鰓？如果讓孩子知道牠是上了陸地，已經演化成哺乳類之後才決定再回海洋的懷抱，小孩子的疑惑就可以少一些，學起來容易一些。難怪孔子說「必也正名乎」，名不正，眞的是「言不順」，因爲沒有看到「道理」就不容易學，心理學早就告訴我們合理的東西容易懂、容易記。或許這本書在這裡可以對孩子有些幫助，至少使他們不要像我小時候一樣，因把鯨誤爲魚而挨打。

這本書讓我們看到滄海桑田的變化，幾億年的時光彈指過，令人感到自己的渺小，就演化而言，我們的確只是百代的過客而已，實在不需要斤斤計較，如果把眼光放遠一點，這個世界會美好很多，精神醫學之父卡批林（Emil Kraepelin）的墓碑上寫著「雖然他的名字會被遺忘，但是他的貢獻一直流傳下去」（Though his name will be forgotten, his work will live on.），我希望這本書能帶給年輕人寬廣的胸襟和這樣的豪志——我的名字會消失，但是這個世界會因爲曾經有我而變得更美好。（原載於《水中傳奇》，推薦）

14 如真的科幻小說

現在科技進步得很快，十年前沒有多少人知道什麼是奈米，現在它已經成爲家喻戶曉的名詞、大學最紅的科系，大家搶著報考。新科技所寫成的科幻小說也最吸引人，因爲它帶給讀者前所未有的想像空間，尤其是有專業背景的作家寫出來的更是令人放不下書。一部完全脫離現實的科幻小說並不好看，因爲太假了，引不起你的共鳴；只有這種極有可能成眞，但現在尚未成眞，虛虛實實的小說會使你廢寢忘食，《奈米獵殺》就是屬於這一類。

本書的作者麥克·克萊頓（Michael Crichton）是哈佛大學醫學院畢業的醫師，且在美國最有名的沙克研究所（Salk Institute）作過研究。所以他寫的東西有科學根據，不離譜。他的小說每一本

書名：奈米獵殺

作者： Michael Crichton

譯者：洪蘭

出版：遠流

都很暢銷，幾乎都被拍成電影。最有名的大概是《侏羅紀公園》（*Jurassic Park*）。他的父親是《紐約時報》的記者，他從小聽過很多稀奇古怪的事情，帶給他豐富的想像力，十七歲時寫的文章就被《紐約時報》採用，因此他一心要從事文學的工作。

上哈佛大學時，一開始是念文學系，但是與老師不來電，不管怎麼認眞寫，他寫的作文都拿B-。有一次，他氣不過，抄了一篇普立茲獎（Pulitzer Prize）得主的文章交上去，居然還是B-，他就決定轉系了。因爲這件事證明老師對他有偏見，明明是名家的手筆，一樣拿B-，第二個理由是老師的程度太差，連普立茲獎得主的文章都沒看過，學生文抄公，老師都不知道，哪還有什麼好念的？

所以他就轉到考古人類學系，從那裡畢業後進入醫學院。因爲考古人類學念很多的生理解剖（這樣才會知道挖出來的是人骨還是獸骨），所以他醫學院念得還不辛苦，但是念到第二年時發現自己看到血會昏倒，可能不適合做醫師，他說他在麻省綜合醫院（Massachusetts General Hospital）實習時，每抽一個人的血，都得把窗戶打開，伸出頭去深呼吸五分鐘才能繼續工作。可憐床上的病患凍得直發抖，因爲麻省冬天嚴寒，而室內因開暖氣關係，只有一條氈子，不足以抗寒風。所以就開始想放棄醫學院，改走文學的老路（他曾經利用週末值班時，寫了篇小說參加比賽，結果贏得二萬美元的獎）。但是當然父母、師長、太太都不答應，他捱到醫學院畢業，決心未改，但阻礙也未減少，有一天突然發現一隻手不會動，麻痹了，經診斷爲多發性硬化症（multiple sclerosis），只有三年的壽命可活。因此向醫學院院長及家人告白，要利用最後的時光做他想做的事，家人只好同意。正好當時他的小說要拍成電影，好萊塢請他去改編劇本，他在從東岸飛洛杉磯的飛機上，突然發現手又可以動了（這叫身心症〔somatization disorder〕，心理影響生理的功能），所以他成爲作家的經歷的確非常曲折，和小說一樣好看。

很多讀者可能會對奈米陌生，畢竟我們在學校念書時，這個東西還沒有進入教科書。所謂奈米是個長度單位，它是一公尺的十億分之一，這個「小」已經超越我們能夠想像的小了。一般人連一秒的千分之一（毫秒）都很難想像，遑論十億分之一。有教學經驗的人就知道，你要用學生熟悉的東西作標準，來換算不熟悉的東西，因此，通常在教學上是把整體縮小，小到學生可以想像時，再來作比例對比就可以了解了。所以，假如我們把地球縮小到直徑爲一公尺的皮球，再把直徑爲一公分的珍珠也等比例縮小，這時，珍珠的大小就是一個奈米了。所以這是微乎其微的科學，不但肉眼看不見，連普通顯微鏡都看不見，非得用最高倍的電子顯微鏡才行，英文叫「微科學」（但是中文發音不準就變成「僞科學」，所以我們都直接用英文名字〔microscience〕）。

一般所謂的奈米科技，指的是一奈米到一百奈米之間物質特性創造出來的新科技。奈米材料是材料學上的一個大突破，它具有高活性、表面積大（所以蓮花才會出污泥而不染，泥巴沾不上去）、自我組裝、超晶格特性及特殊的光電效應，所以它現在已漸漸進入我們尋常百姓家了（如已有人使用高密度電池，可以延長電池的壽命，減少環境的污染）。

本書主題便是結合奈米顆粒與生物材料（大腸菌的分子）所做出來的生物感測器，在利慾薰心主事者的錯誤觀念下，所造成的毀滅性大難，裡面有一些情節令我想到《西遊記》，因為《西遊記》中有許多未修練成人形的妖怪，與這本書中所寫的演化功力不夠、尚未聚成人形的奈米顆粒很像。它雖然是個科幻小說，卻很有真實性，也是一個做為現代人不得不面對的問題。因為高科技大量的消耗地球的自然資源，因此為後代子孫著想，我們一定得朝體積更小、重量更輕、能量密度更高、更經濟、更安全、更環保的方向去走，這是一個必然的趨勢。我很希望透過這本書激發大家對新科技的興趣。

本書提出很多自然界的現象，如鳥為什麼成V型飛？牠絕對沒有修過流體力學；非洲的白蟻如何建造出比人類更精緻的巢穴？牠幾乎沒有大腦；電腦的發明是人類科技史上最重要的發明，它帶給我們意想不到的突破，當電腦模擬白蟻的築巢後，這使我們了解動物並不需要很多的智慧，最後就能形成了不起的成品。利用分散式電腦平行處理方式，只要一點最基本的智慧，它就能產生聚合的智慧，聚沙成塔、集腋成裘。這個集合的智慧就變得很可觀，足以成大器或亂大謀了。它解開了白蟻等大自然許多奇觀的謎團，也使我感嘆科技的進步扭轉不了人類的偏見，發明電腦的涂林（Alan Turing）竟是因同性戀被英國人逼死的。他的自殺我認為是上一世紀最大的損失。

這本書的情節只要在加州的矽谷住過的人都很熟悉，我父親一九八〇年退休後住加州，我們就親眼看到這些電子新貴大起大落，書中電子工程師人格的描寫及對白很傳神。但是這本書最主要是在點出，科學愈進步，人的價值觀愈要正確，道德水準愈要提高，因爲一個錯誤的判斷就可能斷送幾百萬的人命。但是人天性是自私的，我們該如何教育下一代在作判斷時要先考慮到後果的嚴重性，公司的存亡與無辜人命的喪失該怎麼做決策：利己？利他？高科技的殺人通常是不見血的，也因爲如此，在下一代的教育上，價值觀與人格道德情操特別的重要。愈是高科技的領域，道德操守愈重要，沒有良心的把關，高科技會變成浩劫。

美國以前有一個廣告非常的令人感動。一位老印第安酋長駕著一葉獨木舟在一個飄滿酒瓶、廢紙、垃圾的湖上慢慢的划，兩行清淚滑下他的面頰，底下一行字「Men made, men destroy it.」人的智慧造就了我們現在的文明——舒適的生活、方便的交通、七十多歲的平均壽命，但是假如我們不妥善的運用我們的智慧，人類也會毀滅在自己的手上。這本書是個警訊。孔子三千年前說過：「人無遠慮，必有近憂。」假如我們的社會再急功近利、唯利是圖的短視下去，人類的毀滅也是指日可待的了。這是一本發人深省的好書，值得二十一世紀的公民細細的看。（原載於《奈米獵殺》，譯序）

15 有知識沒良心的可怕

生物戰是所有戰爭中最殘忍也最不公平的一種，因爲被殺死的人連敵人是誰、躲在何處都不知道，根本沒有反擊的機會。所以，它也是最爲人所不齒的一種殺害敵人之法。可嘆的是，戰爭講究的是結果，成者爲王，敗者爲寇，所以這種違反騎士精神的屠殺法，在歷史上竟是層出不窮。一三五一年蒙古人西征，從蒙古大草原中帶去黑死病，當他們圍攻黑海畔的卡法城（Kaffa）不下，而自己的士兵一個個病倒時，攻城的將軍便心生一計，下令將病死士兵的屍體用弩砲（catapult）射到城中，鼠疫在城中流行後，這個城便不攻自破了。

這一惡毒的攻城法，造成十四世紀中葉歐洲鼠疫大流行（因

書名：戰慄計畫
作者：Alibek & Handelman
譯者：鍾清瑜
出版：先覺

爲病患血管會破裂，造成內出血與皮下淤血，全身發黑而死，所以鼠疫又叫做黑死病），王公貴族無一倖免，屍體堆積如山，使歐洲人口減少了三分之一。這場瘟疫是造成文藝復興發生的遠因，因爲人死了，財富重新分配，又因人口大量減少，使人口壓力減低，倖存者得以衣食足而知榮辱，有餘力發展文藝、科學。

不過，歐洲黑死病卻不是由卡法傳染開來的，而是由義大利北面的熱內亞城開始的。因爲卡法城破時，一名富有的熱內亞商人將他全部的財富裝到船上，逃了出來。他在地中海漂泊了六個月，沒有國家敢收留他，因爲知道他來自有天譴的城市（當時的人都把瘟疫歸因到天譴）。最後，他回到熱內亞，將所有的珠寶攤在甲板上，對他的家鄉父老說，如果他們開城讓他進來，這些財富都是他們的。他保證他沒有黑死病，因爲他已離開卡法六個月了，並未病倒，所以他是聖潔的。熱內亞人開了城門讓他進來，結果「人爲財死，鳥爲食亡」，父老們雖然拿到他的財富卻來不及享受它，因爲躲在船底、被感染的老鼠順著綁住船隻的繩纜，上了岸進了城，黑死病就從熱內亞開始，以半徑十八公里的速度（這是人步行一天的距離），一圈一圈的往外蔓延。三年之內，席捲整個歐洲，連寒冷的挪威、瑞典都無一倖免。

天花則是另一個令人談虎變色的瘟疫，中外歷史上都有好幾個皇帝死於天花。在法國大革命時被砍頭的法國皇后瑪莉-安東尼特（Marie-Antoinette）有個姊姊，因爲出天花終身戴黑面紗，貴爲瑪莉亞・德瑞莎女皇（Maria Theresa）的公主也無法避免天花的毒害。

人們對瘟疫的恐懼在醫學發達、疫苗出現後，逐漸消失，尤其二十世紀中葉，盤尼西林的發明更使人們從敬天、畏天到人定勝天，開始不再害怕傳染病。一九七七年，最後一個天花病例消失後，聯合國衛生組織在八〇年宣布將天花從人類瘟疫的名單上除名，兒童不再接種天花疫苗（牛痘）。但是醫學的進步、科學的昌明並不能消滅人類的愚昧、無知。人類戰勝了大自然，卻戰勝不了彼此的偏見和仇恨。冷戰期間，列強都在發展細菌戰備，尤以俄國爲甚。因爲鐵幕封鎖消息的關係，如果不是一位俄國生物細菌研究所的副所長投誠美國後披露許多內幕消息，我們根本不知道蘇聯手中曾握有足以摧毀全世界人口的細菌及病毒，包括現在每個人談虎變色的炭疽病菌。

在蘇聯解體後，這些病毒一部分銷毀，一部分流入黑市及恐怖分子的手中，造成現在大家的恐慌。先覺出版社的《戰慄計畫》一書對這段經過有詳細的描寫。的確，一小瓶細菌很容易就藏在口袋中夾帶出來，對失業的科學家來說，黑市的價格是他一個月的薪水，很難不動心。但是這種不分青紅皀白、同歸於盡的武器一旦落入恐怖分子的手中，後遺症又豈是幾千盧布抵得了的？

作者之一的阿里貝（Kan Alibek）這位生備所所長，親眼看到優秀的同事不愼將注射針頭扎進自己的拇指，因爲沒有解藥而慘死，開始懷疑自己投入生物戰的正當性，沈睡的良心開始甦醒。因爲俄國要發展的是沒有解藥的傳染病，一旦有了疫苗便立刻停止研發，繼續尋找更毒的菌種。從他口中，我們知道俄國在攻打阿富汗時，曾經使用過細菌戰，將馬鼻疽的細菌噴灑在阿富汗境內，造成幾十萬人死亡，也看到官方在製造過程中不夠謹慎，炭疽菌經由過濾網的缺失而外洩，造成全村老百姓的死亡，但是這個事件卻被俄國官方粉飾太平，硬說是因爲吃了不潔的肉類而送命。在極權統治下的草菅人命令人髮指。

這本書發人深省：如果我們再繼續只注重智育，不重視德育的話，世界總有一天會毀在我們自己的手中，因爲我們現在缺少的不是知識而是良心，一個有知識但沒有良心的科學家對社會的禍害遠超過做奸犯科者。美國現在已經草木皆兵，信件先要經過檢查才敢派信，一封航空信整整走了二十天才到收信人手上，因爲已有兩位無辜的郵差死於炭疽症，我們開始爲人類的盲目仇恨付出代價。學校、社區都在教導學生、家長有關生物戰的基本常識，我國的衛生署最近也在舉辦炭疽症的講習會，教導醫師如何辨識初期的症狀（最初五天的症狀很像感冒，全身痠痛，這時如果吃抗生素還有用，不過一旦等毒素釋放出來便來不及了）；環保署也舉辦了一場演習，預防像日本東京地鐵沙林毒氣事件的發生。但是我們老百姓的警覺程度十分不夠，因爲大部分人對生物戰還是很不了解。

其實生物戰的恐怖性勝於原子彈，一百公斤的炭疽病菌可以殺死三百萬人，它的毀滅性遠勝於一般的武器，對這種事我們怎能漠不關心，不去找有關的書來看？古人說「前事不忘，後事之師」，我們要開始教導生物戰的各種可能性，有了知識才能應變。

美國已將九一一恐怖份子劫機毀樓事件編入課本，讓學童開始討論偏見、敵視、宗教戰爭的各種意義。「逝者已矣，來者可追」，我們其實也該將生物戰與恐怖主義納入我們課程的討論範圍，使像九一一這種慘劇永遠不再發生。

（《戰慄計畫》推薦導讀）

國家圖書館出版品預行編目資料

講理就好. 2, 打開科學書／洪蘭著. -- 二版. -- 臺北市：遠流, 2006 [民 95]
面； 公分. --（大衆心理學叢書； 402 洪蘭作品集； 2）

ISBN 978-957-32-5911-4（平裝）

1. 題跋 2. 推薦書目

011.6 95018917